タバコ天国

素晴らしき不健康ライフ

矢崎泰久

径《こみち》書房

タバコ天国——素晴らしき不健康ライフ　目次

タバコ天国

第一章 金鵄《きんし》上がって十五銭

紫煙が一筋立ち昇っている。

部屋の中央にあるテーブルに小太りの男が一人背を丸めて俯《うつぶ》せになっていた。小刻みに肩が震えているのは慟哭を現《あらわ》してか。

テーブルの大理石造りの灰皿には煙草が一本置かれ、アメリカ製のキャメルのボックスがあった。ゆっくりと煙は天井を目指している。

「どうして急いで逝ってしまったのか」

吐息のような呟きだった。

キャメルを深く吸い込み、そして一気に吐いた。男が凭《もた》れているのは麻雀卓だった。つい先ごろまで、そこで遊んでいた仲間が消えてしまった。友人の死を現実なものとして受け入れることは容易ではない。

菊池寛

直木三十五

芥川龍之介

洋館の一室で苦悶しているのは、文藝春秋社の社長菊池寛《きくちかん》。二日前に早逝した友人は直木三十五《なおきさんじゅうご》である。

大正十二年（一九二三年）二月に『文藝春秋』を創刊した菊池は思いがけない売れ行きに意気軒昂だったが、同年九月一日に起きた関東大震災でショックを受け、郷里の高松に帰る決心を固めた。大自然の前では人間は小さな存在であり、文化・文明などは取るに足らないと実感したからであった。筆を折るつもりでもあった。

その決心を翻《ひるがえ》させたのが、他ならぬ直木であった。直木は器用な文人で、歴史小説が主であったが、七つものペンネームを持ち、あらゆるジャンルで健筆をふるっていた。創刊の年が三十一歳。それから、毎年直木姓の下に年齢を加えて三十五でストップさせた。それには理由があった。

単なる文芸誌ではなく幅広い読物雑誌として『文藝春秋』の原型を作ったのは直木だった。菊池はどちらかと言えば不器用な人間で、直木の助けなしには多くの読者を獲得するような雑誌は作れなかっただろう。中心は文芸だったが、スキャンダルあり、政財界への鋭い批評あり、娯楽記事ありの、つまり何でもありだった。

ことに趣味のページは充実していた。将棋、囲碁からあらゆるゲーム、ことに競馬。麻雀などのギャンブルには菊池の好みが反映されていた。ビリヤード、カード、ダイス、ルーレットなど室内遊戯も盛んだった。酒と煙草を愛し、お洒落にも気を配った。『文藝春秋』の発行部数はどんどん増え続けたのである。

昭和元年（一九二六年）、菊池と一高時代からの友人だった芥川龍之介《あくたがわりゅうのすけ》が首吊り自殺した。三十五歳、菊池より四歳下であった。数日前、文藝春秋社を訪れた芥川は不在だった菊池をずっと待っていた。灰皿に山盛りの吸い殻を残して、芥川が去った直後に菊池は帰社した。

多忙だったので、気にはなっていたが、菊池が芥川を訪ねることはなかった。当時、流行作家として文壇を席巻していた菊池は、出版社経営という二股をかけて活躍中だった。しかも遊びに目がなかった。だが、それは理由にならなかったはずである。学生時代からの交友を思えば、直ぐにでも芥川を訪《と》うて当然の関係だった。

関東大震災の直後に、真っ先に菊池の安否を心配して、雑司ケ谷《ぞうしがや》の菊池邸に足を運んだのも芥川だった。自殺を知った時、悔んでも悔み切れない苦汁を菊池は味わったのである。

芥川龍之介は『文藝春秋』の創刊号から巻頭に「侏儒の言葉」を連載していた。自殺によって終わるのだが、この一文が果した重石《おもし》のような役割も大きかった。

直木三十五はペンネームをその日から変更しないことにした。菊池同様に直木にとっても芥川の死は大きな衝撃であった。

「文春クラブ」のあの夜――

私は幼名を祥夫《さちお》という。菊池寛が名付親《ゴッドファーザー》であった。

父の矢崎寧之《やざきやすゆき》は『文藝春秋』創刊に際して、「広文庫」という出版社を経営していた物集高量《もずめたかかず》から菊池が譲り受けた社員第一号であった。物集の妻八重《やえ》が寧之の姉という縁で、『群書索引』を発行していた「広文庫」で書生になっていたのが、菊池の目に留まったのだった。

『文藝春秋』の編集は、初期のころは菊池の友人または川端康成《かわばたやすなり》、横光利一《よこみつりいち》、今東光《こんとうこう》など後輩の作家たちがやっていたが、倍増する発行部数をかかえるようになって、それまでの同人誌的な編集を改めることになる。もちろん縁故ばかりだが、ポツリポツリと社員を採用していたけれど、なんでも屋として経理まで担当させられていた寧之は、昭和の初めにようやく編集者として創刊した『モダン日本』を担当することになった。

『モダン日本』の初代編集長は馬海松《まかいしょう》という北朝鮮出身の在日青年だった。幼い頃から馬を支援していた菊池は、馬が東京帝大を卒業すると同時に文藝春秋社に入社させ、五年後に『モダン日本』を創刊させている。

菊池にとっては馬の後見役として古参の矢崎寧之を送り込んだらしい。もともと私の父は菊池にとっては私設秘書のような役割を果たしていて、趣味の競馬では競走馬の購入からレースに出走させるまでのあらゆる手配を寧之に委ねていた。

神田（木挽町《こびきちょう》）にあった「文春クラブ」を麹町《こうじまち》（元園町《もとぞのちょう》）に移したのは昭和七年（一九三二年）だった。「文春クラブ」は作家や編集者たちが遊び場として寛ぐことのできるサロンであった。

こんもりした樹々に囲まれた二階建の大きな洋館だった。明治中期に建てられた加賀の前田《まえだ》侯爵の別邸で、菊池が購入した時には窓以外の軒下はすべて部厚い蔦に覆われていた。

一階がプレイルームで、バーとゲーム室の三室に分かれていた。ゲーム室にはビリヤード台とポーカーテーブル、麻雀卓、碁将棋などの盤や駒が置かれていた。バーには高級洋酒が並べられ、ゆったりしたソファの背後の大きなガラスケースには世界中のシガー、シガレット、パイプ葉が収納されていた。「文春クラブ」で酒と煙草を覚えた文士は少なくなかった。

菊池が仲人となって結婚したばかりの矢崎寧之は二階で世帯を持つことになる。菊池から管理人を命じられたのである。もっとも手伝いの美しい女性三人がクラブに常駐していたのだから、きわめて贅沢な管理人でもあった。

そこで私は生まれた。女性の内の一人は矢崎家に住み込んで専属のメイドになった。

ガラスケースには日本のタバコは全種類揃えられ、愉入タバコは葉巻からシガレットまであらゆる珍品が置いてあった。菊池が愛用するキャメルは常時数カートン貯えられていたという。

バーには夜間はバーテンダーがおり、いろいろなカクテルを自由に飲むことができた。ブランデー、ウィスキー、バーボンはふんだんにあった上に、高級ワインも貯蔵されていた。「文春クラブ」では酒も煙草もフリーだったから、酒好きや愛煙家は嬉々として集って楽しんでいたようである。ただし、食事の準備はなかったから、オツマミかサンドウィッチ程度の接待しか受けられなかった。したがって、ゲームを楽しむ連中は、たいてい食後の遅い時間にやってくるのだった。

あの夜――

麻雀卓には菊池、直木、久米正雄《くめまさお》、吉川英治《よしかわえいじ》の作家四人が八時頃から集まってゲームに興じていた。遊びの最中は飲酒は厳禁。煙草は全員が嗜《たしな》む上に乱れないからという理由で、部屋の中はのべつ紫煙が漂っていた。

九時すぎから観戦していた物集の話では、直木が半荘《ハンチャン》二回ダントツで、場所替えした三回目の東一局に、いきなり国士無双の役満を親で自摸和了《ツモホーラ》した。全員が煙草のケムリを直木に思いきり吹きかけた。その直後に直木が激しく咳込み、いきなり吐血したのだった。物集は詳細に再現してみせる。

「びっくりしたよ。真っ赤な血しぶきを鯨が潮を吹き上げるように吐いたんだ。しかも、それがしばらく続いた。そして、直木クンが椅子から転げ落ちて床に倒れ込んでしまったんだ」

救急車が到着した時は、直木の呼吸はすでに止まりかけていた。物集を加えた四人が慶応病院まで直木と同行した。とりあえず危機は脱した様子だったが、一週間後に直木は帰らぬ人となった。

直木三十五、四十三歳のあっけない最期だった。

翌年、菊池は二人の友人を記念する文学賞を創設する。芥川龍之介賞と直木三十五賞である。前者は新人作家に、後者はベテラン作家に。それは現在も続けられているが、菊池の遺志が正確に継がれているかどうかわからない。

戒厳令下とペニシリン

昭和十一年（一九三六年）二・二六事件が起きた。祥夫は急性肺炎に患《かか》ってその夜生死の境をさ迷っていた。病床に駆けつけた菊池は、一人の西洋人医師を連れてきた。戒厳令下の街を車に乗りついで深夜になってやっと「文春クラブ」に辿り着いたのだった。

文藝春秋社が講演に招いたG・フレミング博士は、日本人医師がすでに見離した幼な子に一本の注射を打った。それはまだ発表前のペニシリンだったらしい。そして明け方近くに祥夫は奇蹟的に蘇生したのである。

近くに銃声がひっきりなしに聞こえ、都心部はかなりの降雪で、麹町界隈は真っ白になっていた。

菊池は階下のサロンに降りてキャメルに火をつけた。麻雀卓に大きな灰皿を置いて、立ち登る煙の行方をジッと見つめていた。

「ありがとうございました」

寧之は深々と頭を下げる。

「キミも一服しなさい。もう大丈夫だ」

寧之が愛用するチェリーは、この一月から桜という名称になった。時代が変わりつつあることを物語っているようであった。

まだキャメルは輸入禁止にはなっていなかったが、外国タバコの値段はこの数年で三倍近くにハネ上がっていた。

「去年、ヒトラーが政権を取った。ナチスのマークが印刷された煙草を吸ってみたけど、ボクはたちまちムセてしまった」

「先生はゲルベゾルデも以前に試したとおっしゃってましたね」

寧之はかつて肺病をわずらって気管が弱かったので、チェリーのような柔らかい煙草を吹かす程度に吸う。菊池のキャメルも一度貰って喫《きっ》してみたが、寧之の喉が受け付けなかった。

「ゲルベゾルデをヒトラーは愛用してたけれど、総統になったとたんにパイプをやるようになったそうだ。葉はキューバから取り寄せているって聞いたけど……」

菊池はヒトラーと同じ口髭をたくわえていた。それが気を重くしていた。

「文春クラブ」の常連たちは、ほとんどがシガレットを好んでいる。葉巻やパイプは似合わないと思い込んでいる人もいた。菊池が寧之に話しかける。

「思えば芥川も直木も、それに物集先生も揃ってゴールデンバットだったね。キミ吸ってみたことある?」

「ちょっとボクには強すぎて」

普段は無口な二人だが、直木を悼《いた》むかのように煙草談義を続けていた。菊池のアダ名は「ロきかん」だった。淋しくてならなかったのか、その夜は冗舌だった。

病が癒えたとは言え、病弱な祥夫は転地療養することになった。三月初めに箱根へ母みよ子と行き、結局「文春クラブ」には再び戻ることはなかった。

箱根へ出発する前日、まだ昼下りだというのに、カード遊びをしている二人の小説家が「文春クラブ」にいた。滅多にない光景だった。

中村正常《なかむらまさつね》と吉行《よしゆき》エイスケ。『モダン日本』に連載を持っていて、寧之が担当編集者だった。

祥夫も顔見知りだったので、階下に降りたあと、しばらく二人の遊びを眺めていた。

「やあ、祥夫クン。キミも一服するかね」

中村が煙草を差し出した。祥夫はまだ三歳そこそこの子供だ。冗談だとわかっていたけれど、煙草を勧められたのは生まれて初めてだった。

「ハイ」

と、一本抜くと、吉行が大ゲサな身ぶりでマッチを擦った。あまりにタイミングが良くて、祥夫はつられるように煙草に火をつけて一気に吸い込んでしまった。たちまち激しくムセ返る。すぐに灰皿に消したが、しばらくは喉が痛かった。初体験は苦しかった。

「あ、すまん、すまん。まさか本気で吸うとは思わなかったよ」

中村と吉行は祥夫の狼狽《あわて》ぶりを見て、呵々大笑する。煙草名は光だった。

やがて姿を見せた寧之に対して二人はバツが悪そうだった。吉行が祥夫の唇に指を立てて、父親には話すなという素振りをした。祥夫はその秘密がちょっぴり心持良かった。それにしても、こんなに不味《まず》いものを大人は何故好むのか。その謎は敗戦後まで続いた。

菊池寛はのべつムッツリと不機嫌そうであったが、それは高松人特有のもので、実際は他人に気を配る温和な性格だった。

作家や編集者の家族を誘って、月に一度ピクニックと称して、小旅行を計画して喜ばせたりもした。吉行エイスケの息子・淳之介《じゅんのすけ》、中村正常の娘・メイ子と祥夫が知り合ったのもピクニックの日であった。

昭和十五年（一九四〇年）二月十一日の紀元節は二千六百年を記念する特別な祝日だった。夜の提灯行列と花電車を観るピクニックが開催された。祥夫とメイ子は淳之介に手を引かれて、銀座通りを一丁目から八丁目まで歩いた。国威発揚の式典も開かれ、紀元は二千六百年、ああ一億の胸は鳴る、と声を限りに歌った。

当時の日本の人口は八千万人に満たなかったが、一億と偽って誇ったのである。淳之介は不機嫌そうで、のべつ煙草をふかしていた。祥夫とメイ子ははしゃいでいる。淳之介が吸っていたのは朝日。学生には高価な煙草だと後に知った。

日本一のヘビースモーカー

庶民というのはいつも逞《たくま》しい。どんな逆境にあっても、そこから這い上がろうとする気配を持ち続けている。抵抗も自由を守るためには役に立った。

紀元二千六百年の替え歌には、煙草に託して権力を批判する精神が宿っていたのである。

金鵄《きんし》上がって十五銭
栄えある光三十銭
朝日は昇って四十五銭
(今こそあがる煙草の値)
紀元は二千六百年
ああ、一億の金は減る

日本の場合は煙草は趣味嗜好による贅沢品であって、国がそれを専売し、喫煙者から収奪するには当然と考えられてきた。それは発売から今日まで、形態は変わってもずっと続いている。

それはさておき、物集高量という日本一のヘビースモーカーについて触れておくことにしよう。

生まれは明治十二年（一八七九年）。父の高見《たかみ》は平田篤胤《ひらたあつたね》門下の著名な国文学者で東京帝国大学教授の任にありながら『日本大辞林』『群書索引』を編纂刊行し、日本の辞書・辞典による近代国語学の草分け的存在として知られるようになった。息子の高量はやがてその後継者となる。

これはまあ表向きの履歴《かお》で、高量は六歳にして高熱による小児麻痺に罹《かか》り、左足の成長に異常を来たした。つまり一生跛行《はこう》だった。幼少の頃から喫煙を始め、百六歳で世を去る日まで、ゴールデンバット（金鵄）を一日に四〜六箱吸い続けた。つまり四十本〜六十本毎日吸っていたわけである。まさに驚異的なヘビースモーカーだったというのに、それでいて後に東京一の長寿者になった、当時は他の追従を許さなかった。

京都大学に在学中、朝日新聞の第一回懸賞小説に応募、『罪の命』で第一席を獲得するも筆を折り、後に朝日新聞文芸部記者になった。夏目漱石《なつめそうせき》、森鷗外《もりおうがい》の担当として原稿取りをやったが、高見が「広文庫」を設立するや後継者として入社し、新聞社には籍だけ置いていた。

一時期は多忙をきわめた。それは幸運にも全国の図書館、大学、高等学校、富裕なインテリ層からの注文が相次ぎ、紙幣を日々印刷するほどの利益を得ることになったのである。

高見が他界するや放蕩三昧な生活を送るようになり、妻の八重共々徹底的にギャンブルにの

め り込んだ。

寧之を菊池の文藝春秋社に入社させた後には文春系の文士たちとの交流を深め、あらゆるギャンブルの指南役を果たした。

第二次世界大戦が起きる寸前には、どういうわけか特高警察に追われるようになり、何回も逮捕留置の憂き目に遭って、やがてスッテンテンになった。

空襲が激しくなると菊池は上石神井《かみしゃくじい》の別荘に物集夫妻を疎開させ、食料品とゴールデンバットを贈り続ける。敗戦直後もそのまま住んでいたが、菊池の死によって寧之の元へ引越してきた。それでも遊び癖は止まることはなかった、少し現金が手に入るとジッとしてはいられない性分《たち》だったのである。

昭和五十四年（一九七九年）百歳を迎えるや一念発起して突然執筆活動に没頭し、『百歳は折り返し点』という著書を書き上げ、翌年寧之の経営する日本社から上梓した。これがマスコミで脚光を浴び、飛ぶように売れた。テレビの『徹子の部屋』に四回も出演し、『続・百歳は折り返し点』『百三歳・本日も晴天なり』と三冊がいずれも十万部を超えるベストセラーになった。

ゴーストライターが存在するのではないかと疑われもしたが、筆は冴えて元気そのものだった。一日八十本と煙草の量もかなり増えて、「煙草も馬券も自分のお金で買うと美味いし楽しいねえ」と、新聞社のインタビューに答えたりしていた。八十歳で歯が一本も無くなったが、煎餅を歯茎でバリバリ食べ、ビデオに録画した高校野球を深夜に観戦したりしていた。

八重が死んで、一時期、世帯を持った私は板橋区大山で高量と住んだことがある。新聞記者時代だから、昭和二十五、六年頃であった。

高量は暇さえあれば咥え煙草で外国作家のSF小説を読んでいる姿が実に印象的だった。読書家でもあったのだ。

私が『話の特集』を創刊して問もない頃、高量を訪ねると星新一《ほししんいち》のショート・ショートに嵌《はま》っていた。『K』と題する作品は、ある日、世の中から忽然と煙草が消え失せているという内容であった。誰も煙草を知らない。タバコ屋もなければ、灰皿もライターも何処にも何ひとつとして影も形もない。

「ね、祥夫クン、街には看板娘も居ないんだぜ！」

高量にとって、これほどの恐怖はなかっただろう。

臓器不能になって名誉区民として板橋区立病院に入ったのは、百六歳を迎えてからだった。高量は喫煙が許されていたばかりか、若い看誰婦が常時介護に当っていて満足気だった。

亡くなる三日前の昭和六十年（一九八五年）十月二十二日に、婦長から私に呼び出しの電話がかかった。もしやと思ったが、違った。

「お爺ちゃんに注意してください。看護婦のスカートの中に平気で手を入れるんです。風紀が乱れますから……」

まだ助兵衛《すけべえ》が治まっていなかった。若い看護婦が私に耳打ちした。

「お爺ちゃんは、若くて美人じゃないと触ろうとしないのよ。婦長さんには見向きもしない。あれは単なる嫉妬ですよ」

と、笑った。思えば猥談が大好きだった。

高量はゴールデンバット、私は紙巻きのアメリカ製のハーフ&ハーフ。その日が二人で吸った最後の一服だった。十月二十五日、百六歳と二百日の生涯だった。その五日後に、父の寧之は八十三歳で息を引き取った。高量より外見ではずっと老いていた。高量が連れて行ったに違いなかった。

同志健在

敗戦直後はモク拾いが街をうろついていた。煙草が貴重品だった。高い闇タバコに行列が出来ている。私は子供の頃は幸いなことに煙草に関心がなかった。

登山とサッカーをやっていたので、煙草を吸う気がしなかったのだろうか。それとも悪い洗礼を受けたからか。戦争末期に物不足だった頃に、私の周囲の大人たちは誰一人として禁煙していなかった。蛇《じゃ》の道はヘビだったのだろう。敗戦後のほうが誰もが煙草不足であった。

だが、いつの時代も、怪しい人というのは何も不足することなく生きていた。煙草を本当に好む人は、絶対にそれにありつく。渋太《しぶと》いというより、それこそが私たちの本性なのだろう。

明治維新によって、日本は大きく変わった。文明開化の嵐が吹きまくる。着物を捨てて洋服へ。ソフト帽、夜会服と燕尾服、共布《ともぬの》の背広とズボン・蝶ネクタイ、ステッキが流行の先端となった。

その尖兵が煙草だった。シガレットケースから外国タバコを取り出し、ライターで火をつける。紳士であることを印象づける。おそらく西洋人からは滑稽至極に見えただろう。

日清、日露の戦《いくさ》に勝利して、第一次世界大戦では列強の一翼を担うまでになった。

戦場で三人の兵士が煙草を吸うエピソードをご存知だろうか。

最初の兵士が火をつける。敵兵はそれを発見する。二人目の兵士が火をつける。相手は銃を構える。そして、三人目の兵士が撃たれて死ぬ。

一本のマッチで三人が煙草に火をつけてはならない。これこそが戦陣訓であった。

暗闇で煙草を吸うことは危険な行為だ。日本という国は、追いつけ追い越せと焦って、第二次世界大戦という無謀な戦に深入りした。

敗戦は教訓を守らなかったために起きた不幸であった。

焼け跡には浮浪児が溢れ、生活品はすべて配給を受けるか、闇市で長い行列を作るしかなかった。煙草も切符なしには買えなかった。

進駐軍はPXで買い物をする。高価な闇タバコは市場に流出し、それでも飛ぶように売れた。洋モクは私たちの憧れの的だった。

警視庁の記者クラブには、闇ルートで洋モクを売りに来る年配のオバさんがいた。袋を逆さにするとラッキー・ストライク、フィリップ・モーリス、チェスターフィールド、ポールモール、キャメルといったモダンなデザインのカートンが目の前にあふれ出る。街の闇市の半額ほどの値段だった。どんな仕組みになっているのかサッパリわからなかったが、オバさんのPXからの仕入れ値は極端に安いものだったに違いない。まとめ買いするとジッポーのライターをサービスに付けてくれたりした。

朝鮮戦争が終わる頃までは、日本の煙草は欠乏していた。闇タバコの中には、辞書の紙を使った手巻きタバコもあった。当時はすべて両切りのシガレットで、紙巻き用のビニール袋入りのハーフ&ハーフも手に入った。誰もがシケモクを経験していた。アメリカ煙草とは味も匂いも比較にならなかった。ピースが出現する以前は、新生といこいが主流だった。

「物集先生、ゴールデンバットは日本のタバコの葉を使用してるんですよ」

菊池寛はアメリカ葉のキャメルをふかしながら言った。

「さいざんしょ、でもね、馴れでもうこれが一番と思えば、他はいらない」

物集は意に介していない。口さみしいだけの人だったのかも知れない。

日本の煙草葉の産地は、現在、茨城、福島、熊本が全体の90パーセントを占めているが、風土が合っているかどうかは定かでない。多湿がいいわけでもなく、亜熱帯のほうが向いていると思える。キューバは有名な産地だが、南米同様に適している感じがする。ことに葉巻は絶品である。

菊池も物集もこだわりはあったけれど、吸引するというより、スパスパ吐くタイプだった。菊池はのべつくゆらせていたが、灰を散らかす。衣服は常に灰だらけで、指が焼けるほどに吸い続けていた。物集は次の煙草に、今まで吸っていた煙草の火を移すチェーン・スモーカーだから、灰皿にマメに灰を落とし続けていた。

物集は菊池の倍以上は一日に煙草を吸った。キャメルに較べればゴールデンバットは細巻きだったが、いくら吸い込まないにしても、身体中にヤニは回っていただろう。

繰り返すが、物集は百六歳まで生きた。六歳から喫煙していたから、きっかり百年吸い続けたわけだ。一日六十本とすれば一ヶ月で一八〇〇本、一年でおおよそ二万本超となる。百年をそれにかければ二百万本を遥かに上回る。

菊池は六十歳で死んでしまったから、多目《おおめ》に計算しても、物集の三分の一ほど。それでも成人してからの四十年間で、五十万本は下らなかっただろう。

さて、私はどうか。現在はキューバ煙草のチェを吸っているが、一日に約四十本。チェは葉はいいが、巻きがゆるい。しかも、フィルター付である。煙草ノミとしては、物集はもとより菊池に及ぶべくもない。何歳まで生きるかは不明にせよ、生涯でも菊池を追い抜くことは至難だろう。最近ではそのまま灰にしている時間が少なくないように思う。

私は今どきの編集者泣かせのライターだから、愛用のモンブランの万年筆で四百字詰原稿用紙のマス目を一字ずつ埋めている。かつてはスピードに乗れば一夜で数十枚書くこともあったが、最近では徹夜しても二十枚程度である。常より右手にペン、左手に煙草がよろしい。

それでも苦吟してしまうと、煙草を三本吸っても考えがまとまらず、ペンを構えてはチェに戻るという動作を重ねる。

吐き出すケムリの彼方に、様々な人が浮かんでは消える。その全員が煙草をくゆらせている。小沢昭一《おざわしょういち》、小松左京《こまつさきょう》、草森紳一《くさもりしんいち》、色川武大《いろかわたけひろ》、筑紫哲也《ちくしてつや》、岩城宏之《いわきひろゆき》、黛敏郎《まゆずみとしろう》、井上《いのうえ》ひさし……すでにケムリと共に去った方々ばかりだ。生存競争中の老友たちも時折り散見する。明らかに喫煙者は減少している。

「えっ、キミも止めたの?」

淋しいけれど仕方がない。競馬場で黒鉄《くろがね》ヒロシ、浅田次郎《あさだじろう》とは一服する機会がある。放送局で熱心に煙草を楽しんでいる人に会うとホッとする。倉本聰《くらもとそう》、猪俣猛《いのまたたけし》、久米宏《くめひろし》……同志健在といった喜びも一入《ひとしお》である。

煙草なしには生きられない。

第二章

たばこ屋の看板娘

大正時代（一九一二～一九二六年）で最も増えた小売店は、街の煙草屋だった。大正デモクラシーでも有名なこの時代は、解放感のある自由が謳歌された時代でもあった。モボ、モガに代表されるモダンな文化が一気に花開いた。

日清・日露の戦いに勝利した日本は、脱亜入欧にどんどん傾斜して行く。第一次世界大戦は参戦したとは言え、遠い国の争いであって、漁夫の利によって経済も一気に活況を呈した。タバコ人口が急増したのも、こうした影響が大きかったに違いない。

一見平穏無事に見えたこの時代にも、普通選挙法と抱き合わせに治安維持法が公布されたり、首相の原敬《はらたかし》が東京駅で暗殺される。イギリスに留学中の皇太子（後の昭和天皇）が急遽帰国することになったのも大きな出来事であった。その翌年に関東大震災が起き、世の中は大きく変わった。そして時代は昭和へと移る。

〽昭和　昭和　昭和の子どもだ
　僕たちは……

私は富国強兵を旨とする軍国主義時代に生を受けた。早く大人になって、お国の為になろう。幼年時代からの生粋の軍国少年だった。

支那事変（第二次世界大戦の発端）、紀元二千六百年、真珠湾攻撃、東京大空襲、学徒動員、カミカゼ特攻隊、沖縄決戦、ヒロシマ・ナガサキへの原爆投下、そして敗戦。

一九四五年七月七日未明、駿河湾を北上したB29八十機は富士川沿いに山梨県甲府市に入り、数時間に渡って狭い盆地を空爆した。私はその時、甲府に疎開していた。逃げ場を失い、母親とはぐれて、荒川の土手で朝を迎えた。一命はとりとめた。火の粉をかぶって衣服もボロボロ、あちこちに火傷《やけど》を負って、リュックサックも失くしてしまった。

一緒に逃げた小学生の友人の手は離さなかったが、着のみ着のままの状態だった。いざという時のために、自分の大切な品物は全てリュックに詰めて持ち出したのだが、気がついたら失くなっていたのだった。

住いは全焼し、庭には大きな穴が空いていた。飼っていたニワトリ二羽が、黒こげになって地面に横たわっていた。

大切な物のひとつだったアルバムを無くしたことに思い至ると、急に涙が溢れた。母が焼け跡に戻ったのは、その時だった。

アルバムの中の一枚の写真。場所はPCL（後の東宝映画）撮影所。岸井明《きしいあきら》という相撲取りのように太った喜劇俳優に私は抱かれていた。その隣に水の江瀧子《みずのえたきこ》（ターキー）、タバコをくわえた菊池寛と私の父親も写っている。私が三歳の日のスナップ写真だった。構図の中心に私がいる。高々と抱き上げられて嬉々としている。忘れられない写真だった。

そして歌が聞こえてきた。

『煙草屋の娘』（薗《その》ひさし・作詞／三宅幹夫《みあけみきお》・作曲）

向こう横丁の煙草屋の
かわいい看板娘
年は十八　番茶も出花
いとしじゃないか
いつもタバコを買いに行きゃ
やさしい笑顔
だから毎朝毎晩

タバコを買いに行く

この頃毎朝毎晩
タバコを買ってくあの人は
なあんてタバコをのむんでしょ
あきれた人ね
おまけにタバコを渡すとき
変な目つき
それでもお店にゃ大事なお客
毎度ありがとう

向こう横丁の煙草屋の
かわいい看板娘
はじめはツンとすましていたけど
この頃うちとけて
おはよう　こんちは　今晩は
おあいそよろしい

だから毎日タバコを
じゃんじゃん買いに行く

岸井明さんの流行歌だった。コミックソングで看板娘役の平井英子《ひらいひでこ》さんを相手に歌う。写真が撮影されて後に流行した歌だったけれど、子どもの私は岸井明を身近に感じるキッカケにもなった。愛唱歌のひとつだった。

ターキーも煙草の愛好者で、九十三歳で亡くなる日まで片時も離さなかった。

黛敏郎から贈られた名品

元服という言葉は、今では死語に近いが、日本では奈良時代以後、いわゆる大人になることを元服と称して祝った。

男子の場合は月代《さかやき》を剃ることで成人とみなす風習があった。つまりチョンマゲを結ったのである。同時に幼名を改め一人前の男として認められた。

年齢的には男子も女子も十二歳から十六歳の間に成年式を行ったが、明治維新によって文明開化が促進され生活様式はすっかり変わった。二十歳を成人と決め、ようやく一人前として認められた。今でも祝日として「成人の日」はあるが、早く大人になりたかった私たちは、大っぴらに酒と煙草を嗜《たしな》むことが出来るその日をひたすら待った。

ことに昭和ヒトケタ生まれの世代は『空の勇士』（大槻一郎・作詞／蔵野今春・作曲）の歌の一節が頭に焼き付いていた。

恩賜《おんし》の煙草　いただいて
あすは死ぬぞと　決めた夜は
曠野の風も　なまぐさく
ぐっと睨んだ　敵空に
星が瞬く　二つ三つ

早く戦争に行って、勇猛果敢に戦って恩賜の煙草を吸いたいと願う軍国少年だった。菊の御紋章が印刷された煙草をついに手にすることは出来なかったが、最初の煙草への憧れは同時代の少年たちの共通した思いであった。

ところが、戦後ずっと、菊の御紋章入りの煙草を持っている男がいた。世界的なオーケストラ指揮者で名コラムニストだった岩城宏之さんだった。

私が岩城さんに最初にお目にかかったのは、麻布の蝦蟇池《がまいけ》の上に建つ「白亜館」というフレンチレストランだった。その日、黛敏郎さんの『題名のない音楽会』というテレビ番組の打ち上げの席上で、私は黛さんから岩城さんを紹介された。

「前から矢崎さんを紹介しろと頼まれていたけど、やっと実現できました。岩城宏之ことブリカです」

私は『題名のない音楽会』のブレーンをやっていて、『話の特集』を創刊して間もなく黛さんに招かれて仕事をするようになった。一九六〇年代のことである。

ブリカは岩城さんのニックネーム。カブリを音楽仲間流にもじっている。岩城さんはつまり幼児からずっと包茎だった。それを隠そうともしないので、友人たちはブリカと呼び、岩城さん自身もそれを受け入れていた。

「お近づきの印に……」

岩城さんから差し出された煙草を見て、私はびっくりした。両切り煙草には菊の御紋章が金文字で印されていた。黛さんの解説が続く。

「味はピースです。ブリカは自分ではダビドフ（スイス製）を吸っているのに、いつも皇室煙草を持ち歩いているんです。この人、学習院で皇太子（現上皇）と学友だったから、東宮へ行く度にごっそり貰ってくるんですよ」

あの憧れの「恩賜の煙草」ではないか！

それが戦後も存在していたのである。しかも、我ら昭和ヒトケタにとって忘れ難い幻の煙草が目の前に突然出現した。

私たちにとって、大人になるという意味での大きな目標が、こともなげにそこにあった。

黛さんと知り合ったのは六〇年安保の前年だったから、岩城さんと出会うずっと以前だった。当初は共に安保反対の若者の一人だったのである。ご当人がどんどん右傾化して行くのだが、そのキッカケははっきりしない。

黛さんは若くして頭角を現し、団伊玖磨《だんいくま》、芥川也寸志《あくたがわやすし》と「三人の会」を結成して活躍した。木下恵介《きのしたけいすけ》監督作品の『善魔』で映画音楽を担当していた黛さんは主演女優だった桂木洋子《かつらぎようこ》さんと結婚する。まさに同世代にとっては垂涎の的でもあった。

黛さんと岩城さんは、実におしゃれなスモーカーだった。持っているシガレットケース、ライターは高級品ばかり。それを懐中から取り出しては、おもむろにシガレットに火をつける。キザな奴と眉を顰《ひそ》める友人も少なくなかった。しかし、その動作はぴたりと嵌《はま》っていた。私はしばしば感心させられた。黛さんは茶目っ気があって、靴底でマッチを擦ったり、ジッポーを愛用したりもする。岩城さんはイギリス貴族に憧れていたのか、徹底的なヨーロッパ紳士を気取っていた。煙草のくゆらせ方も二人には大きな差があった。

黛さんはゆったり、岩城さんはスパスパやる。黛さんはシガレットにこだわっていたが、岩城さんは葉巻やパイプも嗜む人だった。二人に共通していたのは、嫌煙権運動が活発になる前から、常に灰皿にできる用品を持ち歩いており、いわゆるポイ捨ては絶対にやらなかった。

私の会社が独立する時に黛さんは石原慎太郎《いしはらしんたろう》さんと共に株主になった。岩城さんに会う前だから初期の株主として岩城さんは参加していないが、私は黛、石原の両氏には後に株主を退いてくれるよう頼むことになった。

何しろ、反権力、反権威、反体制を旗印にした雑誌を発行しているのだから、自民党の党歌を作曲したり、右翼団体の集会に参加する黛さんとは考えが違いすぎたし、石原さんときたら、「日本の総理大臣になる」と、宣言して自民党から立候補し、記録的な高得票で当選した。それでなくても、のべつ株主の意向を無視すると私を非難していた二人だったから、増資の機会に株主を辞任して欲しいと申し入れることにしたのである。むろん喜んでくれると信じて、二人に会った。

ところが、黛さんは「友人として残る」と言い、石原さんは「株主を辞めずにずっと文句を言い続ける」と共に増資を引き受け、一九九五年に会社が倒産するまで結局は居残った。後に株主となった岩城さんは、バブルがはじけて経営が苦しくなった会社を必死に支えてくれた作家の一人だった。

それはさておき、ある日、突然に黛さんは禁煙を選択する。もともと気管支が弱かったこともあったが、医師から忠告されて、煙草と縁を切る決心をしたのである。岩城さんと私は黛さんの家に呼ばれ、黛さんが長年愛用してきた煙草グッズを引き取るよう頼まれた。まさに金銀財宝の山だった。

ダンヒル、カルティエ、デュポンなどのシガレットケース、ライターが何種類も並んでいる。煙草専用の小物入れは特殊な革製の高価な品物ばかりだった。

「ぼくも同じ物全部持ってる」

岩城さんは平然と断った。私はまさにうろたえるばかり。

「じゃあ、矢崎さんが全部持って帰ったらいい」と、黛さん。古物商に売っても大金になっただろう。しかし、私にはとうてい似合わない。貰ったところで使わず、宝の持ち腐れになると思った。

結局、デュポンの18金ライターとダンヒルのシガレットケース（銀製）を戴いて帰ったが、人前で使う勇気はなかった。

黛さんが亡くなり、岩城さんが葬儀委員長をつとめた。私は棺の中にその二品をソッと忍ばせ別れを告げた。

陛下のご学友・岩城宏之

岩城宏之さんもなかなかのつわものだった。晩年はガンの手術を受けるために病院暮しが長かった。それでも煙草をやめる気配はまったくなかった。病室での喫煙のために、いろいろな道具を考案したり、見舞いに行くと私に使わせたりもした。

窓の隙間からディートリッヒが愛用したような長いキセルを外に出して愛用した。手を使わないで容易に煙草が吸える枠《ケージ》を作って頭に載せたり、医師や看護士に見つからないように幾つものシガレットケースをベッドの下に忍ばせて自慢していた。

ちなみにキセルはｋｈｓｉｅｒというカンボジア語で、日本語では煙管と著した。もっぱら刻《きざ》み煙草をつめて火を点じる道具として用いられたが、そのために火皿《ひざら》、雁首《がんくび》、羅宇《らお》、吸口《すいくち》とから成っている。鎌倉時代には煙草が大流行している記録もあり、主にキセルだったらしい。さて、岩城さんについて話を戻す。黛さんと岩城さんの友情の一端は、問違いなく煙草と結びついている。共に芸大生だったころ、それぞれ現代音楽とクラシックという違う道を目指しながら互いを大いに認め、かつ尊敬もしていた。戦争中の軍国少年の記憶の中には「恩賜の煙草」があったと前述した。二人の共通した意識は世界の音楽界に菊の紋章を見せることにあったのかもしれない。

『話の特集』で「からむこらむ」の連載が始まったのが一九七七年。それから体調を崩すまでの十三年間は、マエストロのスケジュールはほぼ同じだった。日本に帰って来るのは、年に三回。夏季休暇の一ヶ月間は軽井沢にいたが、年末年始と五月は、日本に立ち寄る程度で、海外での演奏旅行が続いていた。

軽井沢で思い出したことを記しておこう。

岩城さんは皇太子（現在の上皇）と学習院時代の学友だったことは前述した。そんなわけでお二人が軽井沢に滞在中には食事を共にすることも少なくなかった。

御用邸の中は至るところに灰皿があり、食堂《ダイニング》やサロンには両切りとフィルター付の煙草が常備されていた。もちろん菊の紋章のついた特別な煙草だったが、岩城さんはこうした配慮が気

に入っていたらしく、或る日感謝の言葉を伝えたところ、

「そう、キミが来られる時は、準備が大変なんですよ」

と、やんごとなき学友は言ってのけた。さすがに岩城さんもびっくりしたらしい。それならば貰って帰ろうと煙草をポケットに入れて帰るあたりが、いかにも岩城さんらしい。

誰の前でも何処でも構わずにプカプカやるという自己流を絶対に守り続けてもいたのだった。

オーストラリアのメルボルン交響楽団の主席指揮者を長年つとめた岩城さんに、オーストラリア政府は大きなプレゼントをした。メルボルンにある「岩城宏之メモリアル・ホール」は現在もオーストラリア最高の音楽堂だが、一九八八年に落成した時のエピソードが凄い。

有名な各分野の芸術家、著名人、政府高官などが勢揃いする会場に到着した岩城さんは、式典開始直前に突然帰国してしまったのである。

岩城さんが目にしたのは、「全館禁煙」のプレートだった。ホールには岩城さんの特別室もあったが、そこにもノースモーキングの文字が躍っていた。マエストロが愛煙家だと知っていて、断りもなく「全館禁煙」の表示をしたことに対して、怒り心頭に発したのである。

落成式は延期され、ロビーに喫煙ルームを作り、岩城さんの部屋から「ノースモーキング」の表示は消えた。

煙草をやめるまで黛敏郎はダンヒルと細巻きのヴォーグを愛用し、岩城宏之はダビドフだった。家にカートンを切らしたことがないのも共通していた。

銀座の「菊水」かホテル・オークラの本館ロビーのシガレットショップで愛用の煙草をまとめ買いするところもそっくり同じだった。

小松左京と野坂昭如の〝珍事件〟

煙草のみには、いろいろな癖があるが、一日に吸う予定の本数を決めているタイプは少なくない。余分な煙草を持ち歩きたくないのである。したがって何よりも苦手なのは、他人から「一本ください」と乞われることであった。

どんな銘柄であっても気にしない煙草好きもいないわけではない。お先タバコ派にはこの手の人が多い。とにかく煙が出ればいいと言う手合いほど苦手な人は他にいない。

私の記憶に残るお先タバコ人間は、寺山修司《てらやましゅうじ》、永六輔《えいろくすけ》、小松左京の三人である。

寺山さんは若い頃からネフローゼという持病があって、フカスとかクユラスことは出来ても、吸い込めない人だった。それでも恰好はつけたい。コートの襟を立て、白いマフラーを首に巻いて、煙草に火をつける。立ち上《のぼ》る紫煙に包まれる自分を演出するのが好きだった。自分では煙草を持っていないのだから、吸ってる友人を見つけると「一本」とねだる。

ある日、私から一本せしめるや、「ライター貸してよ」と、言う。

たまたま銀のダンヒルを持っていて、それを手渡したところ、火を点《つ》けると同時に蓋をした。つまり、煙草を挟んでしまった。あわてずに別の手で蓋を開ければいいのに、煙草を持ってライターを振り落とそうとしたのである。その仕草が実に滑稽だった。

前にも似た光景を私は目撃していた。自慢のジュラルミン製のアタッシュケースを天地逆に開いて、中にあるものを全部地面に落下させた。普通そうしたことは誰もしないが、いかにも気取り屋にして粗忽な天才の面目躍如であった、
私はご本人を前にして、アタッシュケース事件とライター事件を共通の友人たちに披露するのが楽しくてならなかった。寺山さんはこみ上げる笑いを抑えるあまりに、涙をこぼしたりもする。自虐的な人でもあった。

永六輔さんのお先タバコは、明らかに欲望からであった。おいしそうに煙草を吸う人を見ると自分も一服したくなるのである。黙って私の煙草を一本抜く。下唇を突き出す特徴ある姿で火を点ける。ほぼ同時にムセる。すぐに消すことになる。ああ、もったいないと私はホゾを噛むことになる。最近でこそねだることはなくなったが、数年前まではのべつやられた。

小松さんは超のつくヘビースモーカーだった。愛用はフィルター付のショートホープだったが、これには理由がある。火を点けて、二、三回吸うと灰皿に潰すように消してしまう。そして、次の一本を口にくわえて火を点ける。まったく忙しい。その間にも話すことを止めない。短い寸法の煙草でなくては、なかなかこのスタイルは持続できない。

しかも、ホープは一箱十本だから、すぐ空になる。ポケットのあちこちにしのばせてはいるが、三十分もすればお先タバコの手を使うしかなくなる。しかも、ホープと同じようにたちま

永六輔（右）と山下勇三

ち消してしまうのだから、取られた方は胸が痛くなる。

小松さんに会う時は新生を用意する編集者もいた。小松流のお先タバコは際限がない。更に呆れるのは、他人の煙草をどんどん消費しながら、豪快に笑っているのだ。

「小松さん、いい加減にしてよ」とでも言おうものなら、「後で買って返すからケチケチするなよ。煙草が不味《まず》くなるじゃないか」と、反撃されるのがオチだった。

藤本義一《ふじもとぎいち》さんが大阪の読売テレビで『11PM（イレブン・ピーエム）』の司会をやっていた頃、野外で桜見物する番組に、小松さんと野坂昭如《のさかあきゆき》さん、それに私が出演したことがあった。花見だから番組中からガンガン酒を飲み、真にワイルドな雰囲気のまま終了した。十一時から始まったのだから午前零時はとうに過ぎ、その流れで宴は続いた。野坂・藤本という直木賞作家二人を前にして、小松さんが吠えた。

「オレのような大作家が直木賞を貰えないのは不公平だ。オイ野坂、どうすれば取れるか教えろ！」

すると野坂さんは、いきなりズボンを下げて、一物を小松さんの前につき出した。

「これを舐めろ！　きっと受賞できるぞ！」と、野坂さんが言ったと同時に、小松さんは手にしていた煙草をいきなり野坂さんの亀頭に押し点けた。

煙草の火は高熱そのもの。野坂さんはギャーっと叫んだ。すると、見る見る火傷は拡大し、亀頭は腫れ上った。救急車を呼び病院へ運ぶ大惨事となった。

「すまん」と、小松さんも青ざめてしまう。それでも煙草を口から離さない。立派な奴。

小松左京

この事件には後日譚がある。野坂さんは下半身に包帯をグルグル巻きにされ、翌日帰京したのだが、事の顛末を妻に話しても信じてもらえなかった。場所が場所だけに、誰が想像しても下世話になってしまう。だいたい普段から本人に信用がないのだから、どうしようもなかった。
小松さんは急遽上京して、野坂さんを見舞うしかなかった。私も一緒に野坂家へ参上して説明するハメになった。妻の暘子《ようこ》さん

野坂昭如

にはやっぱり信じてもらえなかった。それでもションボリしている野坂さんを見ると、可笑《おか》しさがこみ上げてならなかった。ついには小松さんまで笑い出し、野坂夫人も吊り込まれるように笑い転げた。

一件落着というより、酔狂が過ぎたとは言え、改めて小松さんというヘビースモーカーの罪の重さを感じたのだった。小松さんは遂に直木賞作家になれなかった。野坂さんの恨みが災いしたのかも知れない。

最初《はじめ》にピースありき

私は煙草の銘柄をチェというキューバ産のものに変えた。なじみの赤坂にあるタバコ屋の看板娘から三種類のチェの試供品をもらって吸ってみたところ、すっかり気に入って、数年愛用していたJTのキャスターマイルド（ニコチン5ミリ）から、チェの赤いパッケージ（7ミリ）にしたのである。やや強くなったわけだが、むしろ軽くなった感じがした。それよりも香りと味がキューバ葉独特の柔らかなものであった。ニコチンの含有量は白（3ミリ）は軽過ぎ、黒（9ミリ）は重かった。

キューバ革命の英雄チェ・ゲバラが帽子を着脱するパッケージ・デザインも楽しいものだったが、残念ながら巻きが甘い。加工技術が伝統のある葉巻ほどに発達していないせいだろう。フィルター部分にもややタルミがある。それでもチェは優れものという印象がある。

最初困ったのは、チェを販売しているタバコ屋がなかなか見つからなかったことだ。外国タバコの専門店でも扱っているとは限らない。三ヶ月ほどかかって、赤坂の他に、銀座、渋谷、青山、吉祥寺、錦糸町の計十ヶ所が確認できて、今では切らさずに済むようになった。細かいことだけど、他の外国タバコに比較して単価が五十円ほど安い。キャスターマイルドと同じ値段である。まとめ買いする者にとっては、これは大きい。

私自身の愛用する煙草の変遷には長い歴史があるが、これほど個人的な分野も珍しいと思う。しかも、長年煙草を吸い続けている人には、それぞれのロマンがある。ただプカプカやっているだけではないのである。

もちろん煙さえ出れば、どんな銘柄でもいいという人がいてもいい。ただその延長線上ではなく、究極のスモーカーこそが、煙草文化を支えているのだということをどうしても知って欲しいという思いがある。世界中に同志としての愛煙家は沢山いる。その一端につながる者として、私は命がけで今もペンを握っている。煙草なしには執筆できない。

まさしく、最初にピースありきだった。両切りのピース。ことにピー缶と呼ばれた五十本入りの缶入りピースとの出会いは一生を喫煙者として過ごしてきた人間にとっては大切な出来事であった。

缶を開けた時の香り。一本取り出して火を点け、ゆっくり吸い込む時の喜び。やっと平和をしみじみと味わう気持ちが溢れる。ここから新しい日本は始まった。

私は遊び人だったから、ピースにこだわり続けることが出来なかった。アメリカ煙草、ヨーロッパ煙草と転々と銘柄を変えてきた。通り過ぎた煙草のなかで、忘れられないのはハーフ&ハーフのシガレットだった。発売が中止になるまで私は吸い続けた。

葉巻タバコを紙で巻く。この流れがチェに行き着いた原因かもしれない。

そして、ここで強調しておきたいのは、タバコ屋の看板娘は今も存在しているということである。

もう十分に老いた私は、今も巷をさまよいながら看板娘のいるタバコ屋を探し続ける。

さらば友よ、タバコ屋の看板娘よ、紫煙は永遠に立ち昇る。

第三章

スモーカーたちの命運

マルボーロに命を救われた

一九七五年四月三十日、サイゴンが陥落した。二十数年に及ぶ泥沼のベトナム戦争が終わった記念すべき日だった。

この日、私はサイゴン（現ホーチミン市）に滞在していた。数日前から戦線を放棄していたアメリカ軍は、サイゴンからの撤退を急いでいたのである。それを取材しながら、心の奥ではこの状況に興奮し歓迎している自分を持て余していたのだった。

大勢の西側ジャーナリストは、去就を迫られて、右往左往している。ベトナム軍によって制圧された場合に、果たして記者たちの身分が保証されるかどうか、まったくわからなかったからである。脱出を企《はか》る人々は、空港や波止場に数日前から押しかけ、その中には多くのジャーナリストも混じっていた。

決めかねていた私は、混雑を目のあたりにしながら、残るという決断をした。大メディアの記者やテレビクルーとは違って、どこからも命令されない上に、無事に脱出するルートもなかった。共に居た日本人記者やカメラマンの中で、結局フリーランスの大半が陥落の日を待つことになった。

前夜、闇市でマルボーロを三カートン買った。投げ売りだから、僅か数ドルの安価だった。米兵が放出したに違いないマルボーロは誰からも相手にされないシロモノだったのである。私は自分が喫うためではなく、何かに役立つだろうという直感から求めた。これが私の運命を変えるとはいささかも思っていなかった。

ベトナム戦争の末期に、私は『話の特集』にレポートを発表する目的で、戦火のベトナムへ取材に行くことにした。約二十日間の予定で、北側からベトナムに入る計画を立てた。ベ平連(ベトナムに平和を！ 市民連合)の仲間たちは賛同してくれたが、多くの友人たちからは無謀な計画だと反対された。当時のTBSのニュースキャスター田英夫《でんひでお》さんから、南より北から入ったらどうかと言われ、ハノイに向かう決断をした。

その数日前、五木寛之《いつきひろゆき》さんから資金集めを兼ねた壮行会を開こうと提案され、旅費は幾ら準備しているかを問われた。

「五十万円もあれば大丈夫かと……」

と、答えると、

「何があるかわからない。最低三百万円以上は必要だと思います。二泊三日で箱根へ行きましょう」

そう誘われたのだった。つまり、金に余裕のある麻雀好きの友人たちを集めて、私に勝たせようという有難いプランだった。当日、五木さんが箱根へ連れてきた井上陽水《いのうえようすい》さんを見て、私が怪訝な顔をしていると、

「破れたジーンズを着ているけれど、われわれとはケタ違いの金持ちで、しかも麻雀好き。矢崎さんを支援する気持ちもある人です」と、言う。

陽水さんとはその日が初対面だった。私は、結果的には大きなカンパを受け取ったのである。阿佐田哲也《あさだてつや》（色川武大）、宝官正章《ほうがんまさあき》、福田陽一郎《ふくだよういちろう》、ばばこういち、小沢昭一《おざわしょういち》、の七人が集まっての二泊三日のギャンブルで私は大金を戴き、ベトナムへ旅立った。

ところが、パスポートの不備から、ハノイへは入ることが出来ず、友人で共同通信の極東支局長だった横堀洋一《よこぼりよういち》さんをシンガポールに訪ね、マレーシア、タイを経由して共にベトナムへ向かうことになった。南側ルートに変更せざるを得なかったのである。

日本を出発したのは四月五日だったが、サイゴンに入ったのは同月二十六日。つまり陥落直前の南ベトナムであった。そして、私たちジャーナリストは当然ながら陥落直後に拘束され、

ベトコンに占拠されたアメリカ大使館に即刻収容された。記者証を持たないジャーナリストも少なくなかった。私は日本ペンクラブの会員証は持っていたが、他に身分を証明する方法もなく、ホーチミン軍と、合流したカンボジアのパテト・ラオから厳しい尋問を受けることになった。身体検査は受けたが、所持品を没収されることはなかった。

五人一組にされて、市内のホテル・サイゴンの一室に、翌日から三日間閉じ込められ、理解するのが不可能に近い日本語の通訳がいる部屋に呼び出されて尋問を受けた。五人の内、日本人は私一人だけだったので、制服の軍人数人から質問される。時折り休憩は与えられたが、突然大声で怒鳴られたり、机を叩いて叱責されることもあった。わけもわからない二日間だった。ただし暴行は受けなかった。

この時、マルボーロが突如、力を発揮したのだった。バラにして鞄に投げ入れてあった一箱ずつを取り出し、休憩時間に恐る恐る五人に差し出したのである。すると全員が押し戴くように手に取り、初めて笑顔を見せて、私にも吸ってよいと合図したのだ。

収容されたジャーナリストのほとんどはその後プノンペンに移送された。後に知ったことだが、私と九人（全員フランス人ジャーナリスト・カメラマン）の計十人は、ラオス国境で解放された。どうやら九死に一生を得たらしいと判った。右も左も不明なラオスのビエンチャン市に送られ、政府関係者に迎えられた。そこで思いがけない接待を受けることになった。

フランスの植民地だったラオスは、文化を受け継いでおり、親しくなったフランス人ジャーナリストとあちこちを自由に見て回ることが出来た。後にポル・ポト軍によって連れて行かれたジャーナリストのほとんどは処刑されたと聞いて、私はつくづく運がよかったのだという思いがある。もしかすると私を救ったのは煙草だったのかも知れない。

ベトナムから帰国して間もなく、私はフリー・ジャーナリストの組織を立ち上げることに専念した。旅費が残ったこともあり、私の呼びかけに、ばばこういち、田原総一朗《たはらそういちろう》、森詠《もりえい》、龍村仁《たつむらじん》、加東康一《かとうこういち》といった友人たちが参加を表明した。日本ジャーナリストクラブ（JJC）を立ち上げるためにイベントを企画し、資金集めをすることになった。

会場を探している時、新宿コマ劇場の北村《きたむら》支配人から声がかかった。

「コマが終戦記念日の日に一日空くことになった。矢崎さん、何かやってみないか」

二十四時間使っていい、必要経費以外は劇場の使用料は要らないと言う。一ヶ月間コマを独占していた『村田英雄《むらたひでお》ショウ』の主役の村田さんが、終戦の日は歌舞音曲を控えたいと休演を要求したのだった。

JJCのイベントにふさわしい敗戦二十年の節目の年ならば設立ステージにうって付けだった。私がプロデューサーになり、テレビ東京に中継することで田原さんがディレクター、構成・企画をばば、森、龍村、加東の四氏に依頼した。『ノンストップ24時間』なる破天荒なイベントが実現することになった。

各界の著名人、文化人、学者、芸術家《アーチスト》およそ百人に声をかけて八月十五日正午から、翌十六日正午まで、ぶっ通しの司会を中山千夏《なかやまちなつ》さんに承諾してもらった。客席数は二千だったが、五千枚のチケットを発売、途中の出入りを自由にし、前売り二千円、当日二千五百円とした。あちこちのメディアに協力してもらい、たちまち完売になった。ロック、フォーク、クラシックのミュージシャンを揃え、演奏の間にさまざまなトークショウを試みることにしたのである。

田原さんを一躍有名にした『朝まで生テレビ』の原点はこの時の徹夜のトークショウだった。左右の論客に政治家が加わって熱気のある討論が展開された。客席も舞台も、当時は喫煙が自由だったし、そもそも自由が横溢していた。JJCは入場料収入、テレビ放映料、出版印税などで約一千万の資金を集め、発足の基盤を作ることに成功したのである。

今にして思えば、こうした開かれた空間を維持できたのもスモーキング・フリーだったからかも知れない。因みにノンストップ24時間の警備係を担当してくれたのは、若き日の椎名誠《しいなまこと》、戸井十月《といじゅうがつ》、亀和田武《かめわだたけし》など少林寺拳法をやる有志たちだった。

テレビ嫌いだった草森紳一

思いがけない煙草の効用に浸りながら、四十年ほど前にタイムスリップした。人と人とが、煙草によって強い絆で結ばれることは、それまでにもしばしばあった。草森紳一《くさもりしんいち》と筑紫哲也は、その顕著な例と言えるだろう。

中山千夏

椎名誠

共通項には『話の特集』の常連執筆者として連載を書いていたし、酒と麻雀が大好きだった。何よりも私たちは二十代からの友人であり、ヘビースモーカーだった。

草森さんは慶應大学の中国文学科、筑紫さんは早稲田大学の政治学科。そこに接点はないように見えても、音楽、美術、写真、芸能といった分野では好みがほぼ一致していた。私とモメる時は、いつも二人を共に相手にする結果になった。

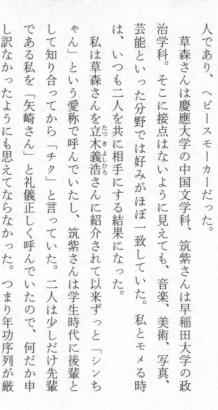

私は草森さんを立木《たつき》義浩《よしひろ》さんに紹介されて以来ずっと「シンちゃん」という愛称で呼んでいたし、筑紫さんは学生時代に後輩として知り合ってから「チク」と言っていた。二人は少しだけ先輩である私を「矢崎さん」と礼儀正しく呼んでいたので、何だか申し訳なかったようにも思えてならなかった。つまり年功序列が厳然と通用していたわけである。

草森さんは缶ピース党で、片時も離さなかった。両切りピース以外は絶対に喫わない。その点では筑紫さんはユルかった。晩年はマルボーロに絞り込んでいたようだが、学生時代は新生を愛用し、新聞記者になってからはハイライトだった。その後、あれこれ洋モクに手を出し、ようやくマルボーロに辿り着いたようである。時にはメンソールを試したりもしていたし、切れると誰からも平気で煙草をねだった。きわめてアバウトで楽天的、節操のないところは特有の性格と一緒だった。

誤解のないように言っておくが、私の友人で筑紫さんほどの好人物は稀であった。それは有名になってからも変わらず、いささか八方美人であったが、とにかく徹底的にお人好しだった。草森さんも好人物ではあったが、気難しいところがいくつか目立った。気は優しいのだが頑固で、意地張りで神経質でもあった。

しかし、シンちゃんとチクは大の仲良しであり、競うことは麻雀をやっている時以外は、全くなかった。どちらかがタバコに火を点けるというより、合わせてくわえるほどの一致をいつも見せていた。

三年ほど草森さんが『話の特集』に連載していた『散歩で三歩』が話の特集社から出版され、箱入りの部厚い超豪華本でもあったので、とにかく売るためにはいろいろな作戦が必要だった。

当時TBSテレビの『筑紫哲也ニュース23』のキャスターだった筑紫さんは、テレビ嫌いで有名だった草森さんを番組に誘った。版元の私も大喜びしたのだが、シンちゃんはなかなか首を縦に振らない。

「テレビカメラの前に立つ自分の姿は想像もしたくない。それに着て行く服も持っていない。何より辛いのは、煙草を喫うなと言われることだよ」

草森紳一

取りつくシマもない。そこで、チクと私は作戦を練った。服は私が付き添って納得の行くものを新調した。やっと決定したのは、実際に二人があちこち散歩する姿をVTRに収め、会話は別録りしてそれにかぶせる。スタジオでは本を前に、散歩の楽しみのあれこれを生《なま》で語り合う。もちろん共通の趣味である麻雀と芸術《アート》についても大いに蘊蓄《うんちく》を傾けるということになった。

とにかく出演することの承諾は取れたものの、スタジオでテレビカメラの前にだけは立ちたくないと言う。有名人になりたくない人にとっては、テレビに出演することは自殺行為に等しい。その体験は私にも痛いほどにわかる。良いことなんて何もない。うっかりすれば生恥《いきはじ》を晒《さら》すだけの最悪な事態になりかねない。テレビとは所詮そんなものだ。

紆余曲折あって、隅田川沿いを浜町《はまちょう》から浅草まで歩くことになった。前後をカメラが追いかけるようにして映しながら、二人の会話を同時録音する。但し条件がついていて、一切の演出なしで流し撮りをすることに決まった。あえて私は同行しないことにした。

いよいよ本番。煙草をくわえた二人がノロノロ河畔を歩いている。会話はほとんどない。雰囲気は悪くない。散歩をしているという流れは表現されている。ポツリと筑紫さんが質問に近いセリフを口にする。

「隅田川はよく歩くの？」

「あんまり歩かない。部屋からみえるし……」

たちまち会話は途絶える。カモメが飛んでくる。まるで煙草を欲しがってでもいるかのようにスレスレに通過する。顔を合わせて二人がそれにいちいち反応する。なかなかの情景であった。オン・エアされた時間は、僅か十五分。それでも見た人は長く感じたかも知れない。

スタジオには『散歩で三歩』が中央のテーブルに立てかけられていて、筑紫さんが感想を述べている。草森さんはビデオ出演のみで、結局はキャスターに苦労をかけた。苦心の宣伝にもかかわらず、本の売れ行きはパッとしなかった。私は二人に腹を立てた。

草森紳一は二〇〇八年、七十歳で死んだ。七十冊の著書を上梓し、残された遺稿が今でも出版され続けている。その後の三十冊を入れると現在百冊、ジャンル別にすると多岐にわたっていて、驚嘆させられる。天才ヘビースモーカーの紫煙は、まだまだ空を舞い続けている。

草森さんが自宅で本に埋もれたままこの世を去った八ヶ月後、筑紫哲也も他界した。七十三歳だった。壮絶なガンとの闘いに傷つき果てた死であった。

二人に共通していたのは、夢配達人としての切ない思いだった。そして、何よりも煙草人間をつらぬいた生涯であった。煙の果てに夢が常に宿っている。そんな姿が忘れられない。

私は二人にとって良い友達だったのか。勝手気ままに接してきたが、沢山の迷惑をかけたようでもある。ことに筑紫さんには無理ばかり要求してきたように思えてならない。

筑紫哲也は〝いい加減な〟ヤツ！

こんなことがあった。

二〇〇五年六月五日、渋谷のＮＨＫホールで『帰ってきたご三家』をやることが決まった。ビートルズ公演以来、日本武道館を初めて超満員にした『中年御三家』を三十三年ぶりに復活公演させることになったのである。小沢昭一、野坂昭如、永六輔が久しぶりに顔合わせする。前回同様プロデューサーの私は、ＮＨＫホールを超満員にし、喝采を再現しなければならない。どうチケットを売り切るか。客席数は四千五百だった。

『筑紫哲也ニュース23』で前宣伝をやってもらうことにした。

「三人が揃ってテレビの生番組に出演するのは最初にして最後だ。頼む」と私。「うん、わかった。トコトン、三人に遊んでもらうことにしよう」とチク。

本番一週間前に、私は筑紫さんと打ち合わせする為にTBSを訪ねた。ところが会議室に入ったところ灰皿が見当たらない。筑紫キャスターが入って来るなり、私は、「灰皿がないぞ。急いで持って来てくれよ」と言った。すると驚いたことに、とんでもない答えが返ってきた。

「先月からTBSは全館禁煙になったんだ。それに、ジャーナリストの分際で今どき煙草を吸っているのは矢崎さんぐらいだぜ。俺もついにやめたんだ」

筑紫さんのまるでジョークのような言葉にカッとなった私は、「灰皿が来るまで口をきかない」と、叫んだのである。ところが、チクは珍しく腕組みして平然としている。

「いつ禁煙したんだ。三日前に麻雀した時は吸ってたじゃないか」

私は気色ばんだ。打ち合わせしなくてはならないこともあってか、筑紫さんはADに灰皿を持ってこさせて、

「この次からは要求しないでよ。俺だってヤメるのは辛かったんだから。でもね、世界中のインテリで煙草をスパスパやってるのは日本人だけらしいよ」

私はカンカンになって、打ち合わせもソコソコにTBSを出た。何しろチケット販売のためとは言え、曲者《くせもの》の三人に機嫌よく出演させるのは至難の業であった。頭が痛い。

結果的には『ニュース23』を三人がジャックし、全編これチケットの前売りに専念するとい

う異常な展開となった。あきらめた筑紫キャスターは最後には小沢さんにメモを渡して、さよならの挨拶《エンディング》まで委ねてしまった。

何と三日後にチケットは完売。番組中、野坂さんが、絶叫していたセリフ、「ローソン、ファミリーマート、セブンイレブン。今すぐ走って行かないと、売り切れ目前」は少なくとも二十回以上流れた。感謝感激チクサマサマであった。

好事魔多し。公演一週間前に野坂さんが脳梗塞で倒れ、代役に中山千夏さんを依頼して、何とか興業を実現することができた。

その翌日、ホテル・オークラで開かれた赤塚不二夫《あかつかふじお》さんのパーティで、筑紫さんに会った。私に近づくなり、

「会場《ここ》は禁煙なんだ。頭に来たよ。喫煙所が近くにあるらしい。行こうよ」

オイ、オイ、どうなっちゃっているの。筑紫さんは嬉しそうにマルボーロのボックスを握りしめていた。いい加減なヤツ！

小沢昭一の〝芸〟

煙草に火をつける。スッと上がるケムリの中に、時おり現れる人がいる。筑紫さんが消えて四年後に八十三歳で世を去った小沢昭一さんである。

決して上品かつ上等なスモーカーではなかったが、小沢さんほど煙草を愛した人はいなかっ

た。つまり、限りなく身近にかつ優しく煙草と仲良く遊んだ人だった。

私の観察によると、小沢さんが亡くなる寸前まで煙草を片時も手放すことがなかったことには三つの理由がある。

第一は惚《ぼ》け防止だった。

認知症を長年患って九十八歳まで生きた母親の介護をしながら、やがて自分にも惚けの日々がやってくると確信していたのである。あれは悲惨な病だ。人に迷惑をかけるばかりか、自分が惚けてしまったら、完全に手遅れになってしまう。惚けないためには、喫煙こそが最も有効な手段であると信じて疑わなかった節があった。

第二は芸人としての間《ま》。

能弁である身を持て余すことがあると、しばしば口にしていた。つまり語りが止まらなくなる。その歯止めになるのは一服であった。口にくわえ火をつける。わずかの間がそこに生まれる。口に吸い込んだケムリを舌に転がして、吐き切る。この二つの間を煙草が与えてくれる。貴重な訓練にもなる。芸達者にだけわかる、いわば阿吽《あうん》の呼吸そのものでもある。これは秘密にしていたように思える。

第三は口淋しい幼少時からの気質。

賑やかで剽軽《ひょうきん》でかつ磊落《らいらく》という見かけ。実は孤独で寂しがりで内気な性格の裏返しがにじむ。言うなればアスペルガー症候群に似た天才気質が横溢している。人をソラさないよう気を

小沢昭一

遣う反面で、自分自身を常に監視観察する二面性が、口淋しい姿勢を形作っている。

以上、三つが煙草と結び付きの強さを裏付けていたに違いない。頭脳的ヘビースモーカーと称してもいいと思う。

それでいて、いかにも愛煙家そのもの。美味《おいし》そうにくゆらし、楽しげに煙草を喫う。誰からも不快に思われることはないし、実に自然体なのである。

それなのに、私が上品でない上等でないとケチをつけるのは、ワケありなのだ。

煙草の銘柄をのべつ変える。まったく執着《こだわり》がない。チェーン・スモーカーに近いから、なるべく軽いもの、つまりタール、ニコチンの含有量が少ない品を選択する。いろいろな銘柄を持ち歩き、時にはメンソールも口にする。ま、節操がないとも言える。私から見ると下品な煙草ノミなのである。

上等ではないと言うのは、時と場所を全く選ぼうとしない。どこでもいつでも、自分が喫いたい時に吸う。それも断固として吸う。当然のこととして迷惑な存在でもあるのだ。

しかし、小沢さんこそが、実は庶民的な煙草ファンであることは間違いない。そのことに気付いてからは、小沢さんと一服する楽しみが格別なことだと、ようやくわかるようになった。

禁煙に徹しているような場所でこそ、小沢さんの挑戦は光り輝くことになる。確信犯であるにもかかわらず、うっかり火をつけたといった素振りが素晴しい。もちろん、注意されたり咎められたりもする。そんな時の対応は見事としか言いようもない。

「いやあ、すみません。ここいつから禁煙になったんですか。知りませんでした。わたくしとしたことがまったく迂闊《うかつ》でした。注意していただいて本当によかった。ありがとう。こんな風にご迷惑をおかけすること少なくないんです。反省してますよ、あ、灰皿はこれ、携帯の持ってるんです。こういう時のために、すぐ消せるよう気をつけてますから……、ははは、わたくしとしたことが、ついついお話をしてしまって、消し忘れるところでした。ご心配かけて、ここではもう吸わないよう、肝に銘じまして。どうも失礼しました、ハイ」

一本吸い終わる間に、お詫びしながら芸を少々披露する。

役者が違った物集高量

目はロほどにモノを言いとはまさにその通りで、オバマ大統領は、どうも安倍晋三《あべしんぞう》首相を好きではないらしい。それが露骨に出ていたのが、晩餐会の席上だった。昔ならこんな時こそ、

「ま、一服いかがですか」

と、煙草を勧めるチャンスだっただろう。

オバマくんの裏庭煙草が報じられたことがあるが、禁煙してしまったとしたら残念でならない。これは想像に過ぎないけれど、こっそり今でももくもく人生を送っているのならば、彼を信用してやってもよいような気がする。

現実と理想が乖離《かいり》しているあたりには、煙草を自由に嗜《たしな》むことの出来ない不充足があるのではないか。隠れて煙草を喫うというのは、不良っぽくて、それなりに冒険でもあるが、大人になった政治家、それもリーダーたる人物がコソコソ吸うのはいかがなものか。映画やテレビのシーンでも煙草は禁じられているようだが、悪いのは煙草ではなくて、奪われる自由に抵抗しようとしない間抜けな人間たちの性根ではないだろうか。

二〇一五年四月二十四日の金曜日に、私は十年ぶりくらいでテレビに出演した。有名人にだけはなるまいという努力はずっと続けてきたが、その理由は一言《ひとこと》で言うと堕落するからである。私は有名人の友人が数え切れないほどいるが、その内の九十パーセントぐらいは人間失格

の烙印を捺《お》してもよい。もし、自分が有名人になったら、絶対に堕落し、権力を欲しがり、金を貯め、威張り散らすに違いない。これだけは気をつけなくては！

そう言い聞かせている内に、老いて増々貧苦を味わって生きることを余儀なくされている。自業自得だからいたし方もない。そういう気質なのだ。

さて、その私が出演したテレビは約四十年続いている人気番組『徹子の部屋』（テレビ朝日系）である。黒柳徹子《くろやなぎてつこ》さんは『話の特集』のレギュラー執筆者の一人で、知り合ってから半世紀以上経っている。

一緒に遊んでいる月一回の句会（話の特集句会・一九六九年発足）の句友同士である。それを一冊にまとめた私の著書『句々快々』（本阿弥書店刊）をテレビで紹介してくれたのである。同じ句友の冨士真奈美《ふじまなみ》さんも応援出演して下さったが、もう一人奇妙な人物がVTRで登場した。『徹子の部屋』に四回出演した、私の叔父・物集高量《もずめたかかず》は、何とこの番組の千回記念に出ていた。その時、つまり三十七年前のVTRが放映されたというわけである。当時叔父は百三歳。死去する三年前であった。

この爺さんこそが、超の上に超の付くヘビースモーカーだった。元服以前からゴールデンバットを吸い続け、百六歳まで惚けもせずに生き延びた。私にとってはお宝のような人物だったが、友人、知人の多くは会ったこともない。それが今回突如として甦ったわけである。

俳句の話ではなく、爺さんの大層元気な姿にびっくりした方々の「観ました」という便りが

黒柳徹子

物集高量

続々届けられた。国文学者にして放蕩無頼を絵に描いたような生き方をした物集高量は、話し出したら止まらない。あのオシャベリな黒柳さんの口にチャックをしてしまうほどの饒舌《じょうぜつ》ぶりであった。テレビとは恐ろしい魔術師《マジシャン》である。存在感は抜群であり、私はすっかり霞んでしまった。つまり役者が違うのだ。

物集先生（あえてそう呼ぶ）は親の残した財産を敗戦直前までにギャンブルで失い、スッテンテンになった。

「どうせ負ける。日本は滅びるに違いない」

そう信じて疑わなかった。気楽に過ごしていたのだ。

ところが物集夫妻は生き延びて敗戦を迎えてしまった。もちろんいろいろな人から援助を受けたが、妻を八十歳の時に失くしてからというもの、煙草銭を恵んでくれる人を訪ね歩くような貧困生活を送っていた。

百歳になった時に一念発起して、『百歳は折り返し点』（日本出版刊）という本を書いた。これが大ベストセラーとなり、思いがけないお金が手に入った。競馬通いを復活したばかりか、女遊び（と言っても機能は不能）も再開して有名人の仲間入りを果たしたのである。

そして、『徹子の部屋』に四回登場した。その結果、続編『百二歳、本日も晴天なり』もベストセラーになり、使い切れない程の大金を手に入れた。

夢に見た煙草で押し入れを一杯にすることも実現し、特大の望遠鏡を手に入れて、晩年は宇宙の勉強に熱中した。当時東京で最高齢者となったために、残念なことに東京都知事（鈴木俊一《すずきしゅんいち》）が弔辞を読んだ。

柩の中に残されたゴールデンバットを献花するように列席者全員で入れた。出棺直前に病室のあちこちに隠してあった煙草が届けられ、全身を埋め尽くした。思い切り喫煙を楽しみながら昇天したに違いなかった。

第四章

あの人が愛した紫煙

銜《くわ》え煙草の似合う人

簡単なようでむずかしいのが、銜え煙草である。字の如くにむずかしい。達人はずっと銜え煙草のまま仕事をし、会話も交わす。有名な人に映画監督の市川崑《いちかわこん》さんと写真家の土門拳《どもんけん》さんがいた。

口を一文字に結び、煙をふんわりと吐き出す。これにはコツがあって、鼻口を使わず、唇から水平に柔らかく押し出すのだ。決して眼に沁みることもなく、他人に吐きつけたりしない。市川さんは欠けた前歯に挟むという特技があったが、土門さんはファインダーを覗きながら、真っ直ぐに銜えていた。もちろん二人共にヘビースモーカーで、片時も煙草を離すことがなかった。

ひとたび火をつけると、三分の一ほどを残して消すまで、まったく手を使わない。まさに驚嘆するほどの名人業であった。生前のお二人にインタビューする機会があったので、私にとっては印象深い銜え煙草だったことを今でもはっきりと覚えている。

『話の特集』で創刊間もない頃に「貌《ぼう》」というグラビア構成の企画でお二人にご登場いただいたのだが、すでに五十年近く前のことであり、お二人の銜え煙草の写真を撮ったカメラマンの柳沢信《やなぎさわしん》さんも故人になってしまった。

市川さんとは松竹大船撮影所で、土門さんとは下町の天ぷら屋さんで、奇《く》しくも昼食を摂《と》りながらのインタビューだった。しかも食べたのはこれまた揃って天丼だから不思議な縁《えにし》を感じないではいられない。

市川さんが注文しておいてくれた天丼は具沢山で丼《どんぶり》の蓋が大きく持ち上がっていた。特製だったのだろうが、豪華な一品であった。

「忙しいから、一日一食で済ませられるくらい盛りがいいんだ」と、自慢気におっしゃった口調が忘れられない。

土門さんは馴染みのお店で昼食となれば天丼というほどの好物で、これまた特製で甲乙つけ難い美味であった。後に知ったことだが、土門さんは銜え煙草で店に入ってくると、指を立ててカウンターに座ったという。つまり、海老の本数を店主にまず伝えるのがこの人の流儀だった。

その大正生まれのなつかしいお二人に、もう一人同じ大正生まれの銜え煙草の似合う男を私は知っている。しかも、彼は九十二歳で亡くなるまで、誰よりも恰好良く煙草を吸う人だった。

若い人の記憶には遠い存在になったと思うが、戦後、映画製作が復活し、復員帰りのスターが銀幕に登場するようになった。

二枚目のトップは池部良《いけべりょう》だった。

戦地で死線をくぐり抜けて来た男たちにはニヒルな表情がともすると浮かんでいた。ほぼ同時に特攻帰りの鶴田浩二《つるたこうじ》と学徒出陣の佐田啓二《さだけいじ》が加わることになるが、少し年長だった池部良は一気にスターの座に登りつめる。

その目ざましい活躍は『青い山脈』の大ヒットでピークに達する。日本中の男性の嫉妬の的でもあったから、スケベリョウとか大根役者などと揶揄されたりもしたが、その瑞々《みずみず》しい風貌と美男子然とした態度は多くの女性ファンの心を一人占めにした。

煙草を口にしたポートレイトが特に人気があった。実際に少年時代からの煙草好きで、銜え煙草がなかなかサマになっていた。薄い唇をキッと真一文字に結んで、ゆったりとくゆらす姿はトレードマークのひとつでもあった。

東京の大森で生まれ育った池部さんは、洋画家で厳格な父親によって鍛え抜かれた人でもあった。読書好きも幼年時代から身についたらしく、後に『話の特集』で発表したエッセイでは

池部良（1952年公開の松竹映画『現代人』より。女性は山田五十鈴）

豊かな教養と多趣味ぶりをいかんなく発揮してくれた。

映画が斜陽になった頃、どちらかと言うと不器用だった池部良は出演機会が激減する。石原《いしはら》裕次郎《ゆうじろう》に代表される日活の青春路線と、勝新太郎《かつしんたろう》、田宮二郎《たみやじろう》、高倉健《たかくらけん》、菅原文太《すがわらぶんた》といった個性的なスターを擁する大映や東映に押され気味だった。東宝は黒澤明《くろさわあきら》監督と三船敏郎《みふねとしろう》のコンビで挽回をはかった。

つまり、池部良は浮いてしまう。東宝の看板スターはやがてフリーになり、ますますスクリーンから遠ざかって行った。

その頃を振り返って、ある日、池部さんは煙草のケムリを目で追いながら私に語った。

「ヤクザ映画からお呼びがかかった時、正直俺も落ちぶれたものだと思った。でも鶴田（浩二）さんが共演しようと熱心に勧めてくれた。復員仲間だったんですよ。命を一度は国に捧げた二人には通じるものがあったのかも。で、一本だけやってみようと……」

池部良の人気は東映の任侠シリーズで蘇ったのである。二枚目の優しい眼の奥に、戦地で恩《おん》賜《し》の煙草を隊長から渡された日の思い出が浮かんだのかもしれない。

〽恩賜の煙草を戴いて
　明日は死ぬぞと決めた夜は
　曠野の風も生ぐさく

じっと睨んだ敵空に
星が瞬く二つ三つ

そして、戦争が終わって、あの『青い山脈』（西条八十《さいじょうやそ》・作詞／服部良一《はっとりりょういち》・作曲）の主題歌が街にあふれる。

〽若く明るい歌声に
雪崩は消える花も咲く
青い山脈　雪割桜
空のはて
今日もわれらの夢を呼ぶ

古い上衣よ　さようなら
さみしい夢よ　さようなら
青い山脈　バラ色雲へ
あこがれの
旅の乙女に鳥も啼く

池部さんが『昭和残侠伝』の出演を決めたのは、この二つの歌から伝わる言葉にならないギャップだったに違いない。

煙草に歴史あり

日本に紙巻タバコが普及するのは明治の後半になってからである。試作品のように売り出されたゴールデンバットは明治三十九年の発売だから、それ以前は西洋人が持ち込む各種の煙草や輸入品を日本人は押し戴くようにしながら喫《す》っていた。

もっぱら愛用されていたのは煙管《キセル》だった。細かく切った葉を詰めて直接火をつけ、長い筒を経て吸口で煙を受ける。江戸時代の中頃に庶民の間で愛用されていたのだから、キセルの歴史は長い。

ヨーロッパではもともとパイプ煙草が貴族たちの大切な嗜好品であり、薔薇の根をくり抜いたブライアンがもてはやされた。これがキセルの原型という説もあるが、北米インディアンは古くから細い筒を用いて煙草を喫っていたし、中国では阿片を吸う道具としてすでにキセルは開発されている。日本人が愛用したキセルが何処からやってきたかには諸説ある。

池部良さんは、自分の父親を日本で最初に紙巻タバコを喫った世代だと言う。

日本では煙草と塩は専売制（公社による統制）とされ、国家を支える貴重な財源に指定される。外国では紙巻タバコが開発普及するや民間のタバコ会社が次々に誕生し、すさまじい競争が起きる。

結果的には現在でも専売は継続されており、日本経済にとっては、煙草は重要な役割を担い続けてきた。

九十歳を越えて煙草を片時も離さなかった池部さんとタバコ談義に耽ったことがある。

池部「家庭でも小さくなってるんじゃないかな、男子たるもの恥かしいね」

矢崎「どんどん値上がりするし、タバコ屋が街から少なくなってますよ」

池部「遠くまで好きな娘のいるタバコ屋へ通ったなあ。それが嬉しいんだよ。ああいう時代は、もう戻っちゃあ来ないね」

矢崎「親父の吸ってた戦前のチェリーが僕は懐かしい」

池部「そう、ある日、親父の敷島を失敬しようとして見つかったら、学生の分際では山桜でいいと小遣いくれましたね。十五歳くらいの時だったかな」

歯切れのいい言葉が、昔《いにしえ》の二枚目の口からポンポンと飛び出してくる。東京っ子の粋が残っていた。顔には皺ひとつなく黒髪がふさふさしている。煙草のくゆらせ方が堂に入っているから惚れ惚れと見とれてしまったことを今も思い出す。

明治三十七年に発足した専売公社は、第一作の日本銘柄を本居宣長《もとおりのりなが》の和歌から名付けている。

『敷島』の『大和』心を人《ひと》問《と》はば、『朝日』に匂ふ『山桜』かな」（註：『』は筆者）

いずれも両切タバコではなく、吸口を二重に紙で巻いてあった。高級品の『敷島』は飛び抜けて高く、廉価の『山桜』でも発売当時は五十銭だった。一銭店が繁盛していた時代のことだ。国産タバコは昭和初期までの間に海外へ輸出するまでに至っている。

池部さんが戦地でいただいた『恩賜の煙草』は菊の御紋章が金字で刻印された『敷島』だったという。戦後のピースがその風味を引き継いだとされている。

十五歳から煙草を吸っていると告白してくれた人の中に、人気キャスターだった久米宏さんがいる。仕事の関係もあって、久米さんとは毎週土曜日にTBSの八階の喫煙室で煙草を吸いながら雑談する。

久米さんは幸せな人で、才媛の奥方がヘビースモーカーで、「タバコやめたら離婚する」と宣言されている。たいていはその逆で、妻子が煙草愛好家の敵として存在するケースの方が多い。

油断大敵禁煙地獄

暑い夏のピーク時に、咳が突然止まらなくなった。煙草を吸うとむせてしまう。大事件である。

私は咳止めを処方してもらおうと知り合いの医師に頼んだ。するとレントゲンを撮ってからでなくては処方箋は書けないと言う。医薬分業にも困ったものである。

しばらく待ってからレントゲン写真を見せられた。両肺共に真っ白。

「ワッ、きれい！」と、思わず私は口走った。

「すぐ、入院して下さい。とても、危険な状態です。肺炎がかなり進んでいる」

医者は厳しい口調で言うと、私に手続きを促した。冗談じゃない、入院なんてカンベンしてくれと、煙草が脳裏に浮かんだ。

急性肺炎はあと数日で命取りの状態と説明され、病院のベッドに連行されてしまった。抗生物質の投与と注射に点滴。一週間は入院しなくてはならなくなった。原因はさっぱりわからないが、冷房によるものらしい。当然、煙草は取り上げられた。

入院三日目、白衣の若い看護師の男性が寝たきりの私の筋肉を調整《リハビリ》に現れた。ふっと流れる匂いに、私はピクリと反応する。漂う煙草の匂いだった。

「キミ、タバコ喫《す》ったばかりだね」と、私。

「いや、館内は禁煙ですから、そんな……」

看護師のイケメンは焦っている。それを見逃す私ではない。

「咎めてるんじゃない。タバコ持ってるんだろ」

と、私は起き直って彼の目を見据えた。

「誰にも言わないで下さい。吸いましたけど、医局に入る前ですし、今は勤務中ですから…

…」

「わかった。誰にも言わないから一本くれ」

「病室では絶対ダメです」

「俺、三日も喫ってないんだ。嫌なら、いい。医者にかけ合うから」

これは脅しに近い。イケメン看護師はキャスターマイルドを取り出して、私に一本渡した。

かくて突然の入院生活から一週間余りで解放されるまで、一日数本の煙草をこっそり喫い続けることができた。レントゲンから影は消え、両肺は黒い肋骨が左右にくっきり見える。

「ま、発見がギリギリだったにせよ、予想以上に回復しましたね。今日退院ということで…

…。言っても無駄でしょうけど、タバコは減らして下さい」

私はニヤリと思わず笑ってしまった。病室から出る私の背中に、医師は半ば諦めたように言って、つけ加えた。

「私も体調を崩したのをきっかけに、一日二十本を最近では十本にまで落としました」

煙草のみの気持ちを十分にわかっているようだった。私の足は地下の売店に向かい、早速フィルター付のピースを一箱求めて家路に着いた。道すがらの思いは、お洒落なスモーカーより、乱暴で野蛮なスモーカーたちとの交流だった。

以前タバコのCMで、「今日も元気だタバコがうまい」というのがあった。まったく油断大敵とは、このことだろう。うっかり病魔に取りつかれると、煙草がおいしくない。バロメーターとしての煙草の価値というのも認めざるを得なかった。

スモーカーたちの素顔

今や写真界の大御所となった立木義浩さんは、若い頃から大層なダンディだった。初対面の時に煙草の吸い方が特別に恰好良かったという印象があった。気取っているわけではない。さりげない仕草の中に洒脱なものを感じたのだ。

立木さんは徳島市の出身だから、高校時代に神戸で遊んでいたにせよ、本来は田舎者である。しかし、私の知っている若者の中で抜きん出て都会風な青年だった。その象徴的なものが煙草に集約されているように思えてならなかった。

彼の所属している会社の工房に行き、いろいろな写真を見せてもらったところ、個展のために準備中の「ブルース」というタイトルのついた作品に心を奪われた。そこに登場する黒人兵士が、いかにもの憂《う》げに煙草を天に向かって吐き出していた。感動的な写真だった。

ファッション写真を手がけている写真家の違う側面を見ただけでなく、紫煙そのものに表情が伝わることを知る思いがしたことを覚えている。煙草はいつも美味《おい》しいものだとは言えな

立木義浩

い。しみじみそれを感じたのである。

立木さんはギャンブルが好きで、私とたちまち意気投合したが、何故か麻雀だけはやらなかった。その理由が、灰をあちこちに落とすばかりか、ラーメンの丼に無雑作に煙草を投げ捨てるスモーカーへの嫌悪にあると知って驚いた。

「タバコに火をつけたままギャンブルやるのは普通だけど、スマートにやってもらいたいんだよね。だらしないのは我慢ならない」

銜え煙草でカードをシャッフルする姿は惚れ惚れするほど決まっていた。東京生まれ、東京育ちの私の方が、立木義浩の前では田舎者に見える。その立ち居振舞いはとうてい真似の出来るようなものではなかった。

ビリヤードの達人であった神吉《かんき》拓郎《たくろう》さんから、スリー・クッションを伝授された立木さんが何より感心したのは、神吉さんがプレイ中に巧妙に喫い続ける煙草にあった。
「ゲームは教えてもらえば上達するけど、あのタバコの吸い方はとうてい覚えられない」
立木さんをして、師である神吉さんへの憧憬は深いものであった。

その対極にいたのが、むさぼるように煙草をのみ続ける人たちだった。その代表格は若松孝二《わかまつこうじ》、荒戸源次郎《あらとげんじろう》、藤田敏八《ふじたとしや》といった私と同世代の映画監督たちだったように記憶している。仕事中でも遊びながらでも、乱暴に煙草を吸う。それがまたそれなりに雰囲気を醸し出すのだから面白い。

マナーは悪いのだが、そこが魅力でもあるあたりが何とも言えない。若松さん、荒戸さん、藤田さんは私の麻雀友達であり、一時期はのべつ徹マンを打っていた。

麻雀をやる人の中には、いわゆる「テンパイ煙草」という癖のある人が少なくない。この人たちは判り易くて、与《くみ》しやすいタイプだが、前述した三人はのべつ幕なしに煙を吐いているのだから大変である。それでもヒントは与えてくれる。

若松さんは手が大きいときは深く煙を吸い込み、荒戸さんは太い指にしっかりと煙草を握りしめるように持ち、藤田さんはせわし気に煙を上に吐く。

そんなギャンブルでも、人間相手にやっている種目は、観察力が大切である。その小道具として登場するのが煙草なのだ。

海外のカジノでは葉巻やパイプを愛用する人を見かけるが、ギャンブラーはシガレット派が圧倒的に多い。流れやリズムが左右するゲーム程、煙草が果たす役割が大きいような気がしてならない。

規則正しい愛煙家

最近はほとんど見かけないが、シガレットケースを常用している煙草のみも貴重な存在である。銀製のシガレットケースに朝二十本の煙草を入れて家を出て、帰宅する時はぴったり空っぽになっている。途中で補充したりしないのだから、そういうスモーカーは頭の中に時間割が出来ているに違いない。

飛鳥新社の土井《どい》尚道《なおみち》社長は九段に住むようになってから早朝に起きて、皇居のお堀端を速歩で一周する。自宅近くの靖国神社がいわば終着点であるから、礼儀正しく参拝して帰宅する。朝食をしっかり摂《と》って出社、昼食はなし。夕方仕事を終えると馴染みのバーへ立ち寄り、そこで葉巻に火をつける。至福の瞬間に浸るということになる。

一人の時が多いが、連れがいることもある。そして晩めしのプランニングを立て、予約を入れる。友人にせよ、社員にせよ、相手は変わるけれど、家で食べることはほとんどない。つまりこれが彼の日常ではあるが、いくつかのポイントの中に、キューバの最高級葉巻が位置を占めているのは間違いない。

藤田敏八

教養人にして、これほど規則的な生き方をしているのはごく稀だろう。私にはとうてい出来ないし、守れないに違いない。

一本の葉巻をくゆらす時に、そこに去来する思索が研ぎすまされ、脳裏に沈殿してゆくのだろうか。土井さんにとっては葉巻は重要な生きるためのファクターに違いない。その姿を見ていると、私はある種の安堵を感じる。読書好きの出版人としての共感を覚えるのである。

私も葉巻やパイプにチャレンジしたことが幾度かあった。しかし、たちまちにして撤退を余儀なくされる。合わないというより、シガレットの魅力に取り憑《つ》かれているからだろうと思う。ニコチンやタールはシガレットにより多く含まれているが、匂いや喉への負荷は葉巻やパイプの比ではない。

噛み煙草、嗅ぎ煙草、水煙草などなど種類は様々ではあるけれど、いくら試してもとうてい馴染めない。

戦後間もない頃には手巻き煙草が流行したことがあったが、不器用な者にとっては至難の業でもあった。

ジャズピアニストの八木正生《やぎまさお》さんは、片手だけで紙の中に細かい葉を入れる手巻きの天才でもあった。かつてアメリカ映画の西部劇にはガンマンが馬上で器用に煙草を巻くシーンがあったが、それに憧れて手巻き煙草を吸う人も少なくなかった。

こうして煙草全般を俯瞰してみると、どんな煙草を愛用するかは、性格的な問題のような気がしてくる。所詮は趣味嗜好が果てしない多様性に依拠していることがわかってくる。こと芸術家にとっては、思考回路と大きな関係があると思う。

極端に聞こえるかもしれないが、そもそも煙草を愛する人は、自由を欲する人に違いない。「自由が命」というのは、私の座右の銘でもある。自由のない人生なんて、本来あってはならない。

第五章

星の流れに身を占って

わがいとしのパリ

二〇一五年十一月十三日金曜日の夜、パリは同時多発テロに襲われた。世界で最も華やかな憧れの都で悲惨な事件が起きたのである。

絶対に許すわけにはいかない。ことに私たち世代のオールド・リベラリストたちにとっては、余りの衝撃に言葉を失ってしまう出来事だった。

まず思い浮かぶのは昭和三十年代の名曲『カスバの女』（大高《おおたか》ひさを・作詞／久我山明《くがやまあきら》・作曲）だ。ゲーリー・クーパー主演の『外人部隊』が封切られ激しいノスタルジーの虜《とりこ》になったことが脳裏に浮かぶ。

〽涙じゃないのよ　浮気な雨に
ちょっぴりこの頬　濡らしただけさ
ここは地の果て　アルジェリヤ
どうせカスバの　夜に咲く
酒場の女の　うす情け

歌ってあげましょ　わたしでよけりゃ
セーヌのたそがれ　瞼《まぶた》の都
花はマロニエ　シャンゼリゼ
赤い風車の　踊り子の
いまさらかえらぬ　身の上を

貴方もわたしも　買われた命
恋してみたとて　一夜の火花
明日はチュニスか　モロッコか
泣いて手をふる　うしろ影
外人部隊の　白い服

細身で長身の美青年が、虚無的な瞳の奥で紫煙の行方を追っている。憧れのパリ、夢のパリから遠い異国へと何もかも失ってやって来て、傭兵《ようへい》の日々を送っている。いろいろなものが現実世界に重ね合ってにじみ出ている。

果てしなく続く大国間の覇権争い、宗教の対立、民族の対立、その裏側にある飽くなき欲望と支配。強権は弱者を追い詰め独裁の限りを執拗《しつよう》に見せつける。いつかは必ず、爆発する。木っ端微塵《みじん》に飛び散って行く。その繰り返しばかり。

もともと人は、ささやかな希望と小さな夢さえあればそれだけで幸せなのに、どこでどう間違って戦争という災禍に手を染めてしまったのか。暴力には更なる暴力が生まれ、その繰り返しが続いて行く。それは絶対に終わるところはない。いつかどこかで気が付かなければ、世界は必ず終焉《しゅうえん》の時を迎えるに違いない。

オシャレな街で、おいしいコーヒーをすすりながら、くゆらす一服の喜び。ささやかな楽しみが、どれくらいすばらしいものか。私たちはそれを知っている。

パリは時代と共に変化してきたが、フランス革命によって人民の手に帰《き》してから、過酷な戦火の中にあってもしっかり生き延びてきた。

私たちが愛したパリは、どんな悲劇に遭遇しても、美しくあり続けた。文化と芸術によって支えられてきたからだ。それこそが私たちの自由を守り続けたのである。

地獄を垣間見る今この時こそ、自由を大切にする。それが何より大切に違いない。

剣豪作家たちには夢があった

戦中戦後の数十年、同世代にして同年輩として駆け抜けた三人の剣豪作家たちがケムリと共に浮び上がってくる。個性豊かな三人には、明確な違いこそあったが、共通点が山ほどあった。小説家としての出発は、きわめて純枠で木目細《きめこま》かな作風であった。

それがいつか、同じ剣豪作家への道を選ぶ。不思議としか言いようもない。風貌からは、山《やま》田《だ》風太郎《ふうたろう》、五味康祐《ごみやすすけ》、柴田錬三郎《しばたれんざぶろう》の年齢順に見えるが、実は売れたのも生まれたのも、逆さまだった。ただ、三人ともに、長髪で着流しを好み、しかも下駄か雪駄を愛用し、片時たりとも離さないほどの愛煙家で、そしてギャンブルを愛するというよりノメリ込んで生きてきた。手先も器用でイカサマに長《た》けているのもそっくりであった。

花札、カードを常日頃より持ち歩き、麻雀のような室内賭博《とばく》から、アウトドアの競馬、競輪、競艇にまで手を出していた。それにもかかわらず、三人は共にテーブルを囲まないし、連れ立ってギャンブルに興じることなど全く無かった。何故か互いに戦うのを避け続けた。三人を共通に知る友人たちにとっては、それが不思議でならなかった。しかも藤原審爾《ふじわらしんじ》、色川武大（阿佐田哲也）という幅広い交友関係を持った友人とは、それぞれが深い親交を持っていたのだった。

私の場合は色川・阿佐田とネジレ現象の中での関係が日常的にあったので、三人との付き合いの型が流動的でありスレ違いの連続のような印象が強かった。つまり一緒に遊ぶ時には、三人の誰か一人だけに限られていた。それはそれぞれの煙草の好みによっても、はっきり分かれていたのだった。

むろん全員がヘビースモーカーではあったが、日本（主にピース）派、ヨーロッパ（フランス・ドイツ）派、アメリカ派にはっきり三つに分かれていた。それ以外は頑固なまでに吸わない。互いに意識しているようにも思えたが、何故そうした区分が出来たか、誰にも判然とはしなかった。

ギャンブル好きで煙草を絶対に切らさない。三人は自宅で遊ぶか、仕事場で遊ぶかのどちらかを選ぶことが多かったから、交わる機会が無かったことも当然だったのかも知れない。『柳生武芸帳』の五味康祐は大業のイカサマをしばしば企《くわだ》てて仲間から平然と巻き上げることが少なくなかった。とてつもない大音響でクラシックのLPを鳴らしながらポーカーに興じることを得意とした。

もっとも五味さんがポーカーで勝利するのは、多くの場合はハッタリだった。寺山修司と練馬の家に呼ばれて、ブラフに違いないと思いながら最後に負けて帰った夜は、口惜しくて嘆き悲しんだりしたものだ。

麻雀でテレビマンユニオンの萩元晴彦《はぎもとはるひこ》と大阪の興業師の古川益男《ふるかわますお》、黒メガネ作家の野坂昭如に私が加わって四谷の旅館で五味さんだけ抜けナシという変則五人打ちをした一日があった。一人百万円持ち寄りの高いレートだったが、場所代と食事代は五味さん持ち。その五味さんの負けが次第に大きくふくらんでいた。

抜け番は野坂さん、東一局で突然五味さんが大三元を和了《ホーラ》した。何か唐突な感じがしないでもなかったが、イカサマがばれたら全員に二十万円ずつの罪金という取り決めだった。

当時は手積み麻雀だったから、役マンは怪しまれる。同じ局面で五味さんがフトコロの煙草を取り出して火をつけようとした瞬間に、野坂さんが叫び声をあげながら、テーブル越しに五味さんに飛びついた。

「五味さん、煙草の他に袂《ソコ》に何を入れているんです」

全員の注目が袖口に集まり、野坂さんが素早く摑《つか》んだ袂《たもと》から、牌が四つ転げ落ちた。

証拠が判明した以上、五味さんは観念するしかなかった。小切手帳を取り出し即座に切った。無念さが滲《にじ》み出ていた。やおらタバコに火をつけ、

「だが一人分は払わない。野坂クンは発見者だが、プレイヤーじゃない。それに、見つけられた牌は、彼が仕組んだ疑いも十分ある」

五味さんの主張に野坂さんは憤然とした。

半額を払うことでお開きとなり、五味さんはしょんぼり帰宅の途に着いた。

柴田錬三郎のイカサマには、もっと凄い顛末《てんまつ》がある。『眠狂四郎無頼控』が絶頂期にあった

五味康祐

頃、柴田さんは品川の高輪プリンスホテルに三年近くも出版社からカンヅメになっていた。その間、私たちは週に一度必ずドボン（カードゲーム）のために柴田さん御用達のスペシャルルームで徹夜した。常連は生島治郎《いくしまじろう》、五木寛之、阿佐田哲也、三好達治《みよしたつじ》、佐野洋《さのよう》、本田靖春《ほんだやすはる》などの作家仲間と編集者たちで、漫画家や芸能人なども時折り混じって遊んでいた。

ほとんど柴田さんの一人勝ちで、結局は全員がコテンパンにやられ、ほうほうの体《てい》で退散するしかなかった。柴田さんはドボンの天才として、私たち誰からも驚異の存在であった。渋い顔付きでカードを実に巧妙に操る。タバコをくわえながらシャッフルする姿は惚《ほ》れ惚《ぼ》れするものがあった。挑戦者たちは誰もが、柴田さんこそドボンの天才だと信じて疑うことがなかった。

それがイカサマだったとわかった時のショックは昨日のことにように覚えている。ドボンとは最初に配られた一枚のカードを手札として置いて、親の二枚のカードに限りなく十九に近づけるよう挑戦するゲームだが、必ずしも弱い手札でもギリギリに勝つチャンスがあり、欲張ってカードを引くと、二十を越えてドボンと沈んで負ける。カンと度胸だけでなく、親と子のカケ引きに重要なポイントが幾つもあった。このゲームの元が、外国のカジノ賭博のブラックジャックであることは言うまでもない。

親だろうが子だろうが柴田さんはいつも冴えていて勝利する。もちろん負けることがないわけではないが、何故か被害が少ない時に限られていた。

いわば裏切りによって柴田さんのイカサマは発覚してしまったのだが、新しくカットしたカードに柴田さんにしか判らない特別な印があらかじめ印刷されていたことがわかったのだった。

つまり柴田さんには相手の札《カード》が総《すべ》て見えているのだから、いかにも危険を冒して勝負したとしても、必ず勝つことが出来る。親なら片っ端から取れるし、子なら簡単に親を打ち負かすことが可能なのだ。呆《あき》れるほどの大仕掛けのプロ級のインチキだった。

長期間にわたって被害に遭った全員からの自己申告を受けて、全額弁償とし、柴田狂四郎はバクチから足を洗った。もちろん、もう誰も柴田さんとは遊ばなくなったし、コトがコトだから誰も表沙汰にはしなかったが、柴田錬三郎の不敗神話は後味の悪いものとして私たち全員の記憶から永久に消えることはなかった。

ただ、いかにもさわやかだったのは、相手の言った金額を黙って支払った上に、何がしかのお詫び金を加算して手渡したことだ。スキャンダルにはならなかったが、柴田さんは剣豪作家の看板を下ろして独特な文学作品を地味に書くようになった。変身がギャンブルにあったことは誰も語らなかった。たかが身内のイザコザなのだ。今では時効である。

柴田さんが元気溌剌《はつらつ》だった頃、永六輔、青島幸男《あおしまゆきお》らを名指しにして、「テレビの寄生虫」呼ばわりしたことがあった。バッサリと斬って捨てたのだが、したたかな永さん、青島さんは、「寄生虫で何が悪い」と開き直って反論し、更に世論を拡大させてしまった。今のテレビ界の堕落を見るにつけ、シバレンの一喝はいかにも時宜《じぎ》に合っていたし、永、青島もテレビから、それを機会に自ら去って行った。痛み分けと言うより、テレビには多くの日本人を破壊した麻薬的な危険が今もつきまとっているように思える。当時は狂気の時代でもあった。

山田風太郎はその点一風変わっていた。スタートは推理作家だった。本格ミステリーを発表して一九四九年には探偵作家クラブ賞を受賞している。それがガラリと独特な忍者小説を創出して、『甲賀忍法帖』で大ブームを起こした。並んで明治開化物などの近世歴史小説を書いて、根強い歴史ファンの発掘も手がけたのだった。飄々《ひょうひょう》とした風采《ふさわ》と書くに相応しい文士然たる人であり、剽軽《ひょうきん》な面影が誰からも好印象を持たれていた。

いわゆる小バクチが好きで、フトしたことを賭けの対象とする。ついつい誰もが釣り込まれて、「次の角を曲ってくるのは男かな女か、どっちに賭ける?」とか、分厚い電話帳を二人で順番にめくって、「オイチョカブごっこ」に誘い込んだりする。もちろんいわゆる小銭稼ぎを楽しむわけで、「タバコの煙の輪に、次の輪を通したら、近くのタバコ屋で一箱プレゼントするよ」といった他愛のない遊びで、とことん楽しんでいたものだった。だが、転んでもタダでは起きない人で、小バクチの勝率は80パーセント以上だった。

しかし、何より凄いというか愉悦そのものは、「くノ一」を発明したことである。忍術とエロティシズムの合体によって、私たちファンはハラハラドキドキしながら、次なる術を待ち望み、やがて五臓六腑《ごぞうろっぷ》ことごとく山田風太郎の魔術の虜にさせられてしまう。しかも史実に詳しいから、とても現実には体感できない妖婉な世界をまざまざと見せてくれるのだった。

もちろん忍者小説の第一人者だから、騙《だま》しのテクニックは絶品である。山田さんが得意としたのは、ちょっとした手品であった。騙される快感というものがあるとすれば、山田さんに軽く遊ばれてしまった時だ。エッ、まさかと思った途端に術中に嵌《はま》って終わる。大人から子供まで、とことん手玉に取るのだが、後味が実に良い。騙されても軽くあしらわれても、いつも納得させられてしまうのである。

死者に贈る弔辞《ちょうじ》でも山田さんの右に出る人は少ない。無駄がなく正確であるにもかかわらず、情感に溢れている。『人問臨終図巻』と題する名著があるが、死者が蘇るような文章がさり気なく綴《つづ》られている。

九州場所で横綱白鵬《はくほう》が「猫《ネコ》だまし」という奇策を使って急死直前の北の湖《うみ》理事長の顰蹙《ひんしゅく》を買ったが、あれこそが山田さんが生み出した忍法の技であり、相撲界ばかりか今も山田風太郎が生きている気がする。

着流しのヘビースモーカー三人の揃い踏みは、いかにも絢爛《けんらん》豪華なものであった。ベテンやイカサマに引っかかるにしても、それが粋なものであれば、いつか納得させられてしまう。まさにケムに巻かれてしまう交流であった。

コーヒー&シガレット

明治維新によって日本は大きく変わった。西洋に追いつけ追い越せとばかりに、まさに文明開化の激しい波に揉みくちゃにされたのだった。

大正・昭和の文化は和魂漢才《わこんかんさい》から和魂洋才《わこんようさい》へと一気に移行したとも言える。珈琲《コーヒー》と煙草《シガレット》はその象徴であった。

街のあちこちに喫茶店が出現し、コーヒーを飲みながら、シガレットをくゆらす人々で賑わうようになる。モダンが流行の先端となり、一般大衆にまで蔓延《まんえん》する。そのスピードたるやすさまじいものがあった。

戦争の時代がやってきて、平和が戻るまでコーヒーもシガレットも不自由な日常を送らざるを得なくなり、いわば文化の受難の日々が続くことになった。

廃墟《はいきょ》から立ち直るにつれて、楽しみが蘇ってきた。喫茶店が街に復活し、煙草を手にして憩《いこ》う人々の姿が増加する光景を目のあたりにするようになったからである。

ところが最近は禁煙の表示をしたり、いわゆる店内を分煙にする喫茶店がどんどん増えている。タバコが吸えないコーヒー屋なんて、とんでもない堕落である。これでは文化は成り立たない。果たしてコーヒーの味も劣化しているに違いない。

一日に数杯のコーヒーを飲む私は、行きつけの喫茶店が行動範囲内の街にいっぱいある。どこも素晴らしい店で、無論スモーキング・フリーである。つまり、禁煙分煙といったハシタナイところのある上等な喫茶店は一軒もない。煙草を禁ずる喫茶店なんて、本来あってはならないと思う。

赤坂の一ツ木通り界隈《かいわい》に雰囲気のいい喫茶店が二軒ある。時々仕事でTBSに行っていた私は、どちらかの店に時間があれば必ず立ち寄ることにしていた。

「コヒア・アラビカ」は古くからある店で、茶のモノトーンの広くゆったりとした店内は格調がある。ストレートは揃っていて、高級な銘柄ともなるとかなりな値段を覚悟して注文しなければならない。一杯五千円となると気が遠くなる。一度も飲まなかった。

もう一軒の「薔薇《ばら》」は炭火焙煎の専門店で、約二十五年前に開店した。銀座で修業した女店主が一人で運営している小さいけれどしっくりした落ち着ける店である。ママの人柄もあって常連客も多い。

ある日、養老孟司《ようろうたけし》さんが数人の男女を連れて「薔薇」に突然現れて言った。

「この街の会社には、タバコの飲める会議室が一つもない。ボクの脳味噌はひからびてしまうよ」

どこでどう店を見つけたのかは謎に近かった。養老さんは素晴らしい嗅覚があるのだろう。特異なスモーカーにはそれがわかる。実は私には養老さんと同じような経験が何回もあった。コーヒーが上手《おいし》くて、気分良くシガレットが吸える。そういう喫茶店をいとも簡単に発見してしまう。求めたとたんに通じるものがソコに存在する不思議が出現する。

旅に出た時に体験することも少なくないけれど、自分にもはっきりわからない。それでも、ソコに喫茶店があり、スモーカーを手招いてくれる。見知らぬ街の懐かしいコーヒー店なんて、どういう偶然だろうか。

身体に悪いから煙草をやめるという人がいる。さっさとやめたらいいと私は思う。そういう人はもともと煙草をたしなむ資格のない人なのだ。煙草を吸いたくて生きている人にとっては、煙草は楽しみであり喜びなのだ。それがないのなら生きる価値などないと思う人こそ根っからのリベラリストである。

何事も理屈で片付けてしまおうとするなら、ロマンはこの世から消える。危険や失敗が恐ろしいからと言って、挑戦を諦めてしまうなら、人生は前へ進まない。無味乾燥とはそれを指している。つまらないことに甘んじて生きたところで、そこに一体何があると言うのだろうか。勇気を抱くこととは何かを真剣に考えてみてはどうか。

私たちは所詮は儚《はかな》い存在にすぎない。だから積極的に生きるしかあるまい。最後の最後まで諦めない覚悟だけが、私たちを救ってくれる。恰好《かっこう》の良い煙草好きにはそれがある。その一点だけでも友情を覚える。

戦後間もない頃『星の流れに』(清水《しみず》みのる・作詞/利根《とね》一郎《いちろう》・作曲)という流行歌があった。菊池《きくち》章子《あきこ》さんのいささか自棄《やけ》気味の節まわしは時世にマッチしていた。

〽星の流れに　身を占って
何処をねぐらの　今日の宿

荒《す》む心で　いるのじゃないが
泣けて涙も　涸れ果てた
こんな女に誰がした

煙草ふかして　口笛ふいて
あてもない夜の　さすらいに
人は見返る　わが身は細る
町の灯影の　侘びしさよ
こんな女に誰がした

どん底にあっても、いかに辛くても生きるしかないと沈む気持ちを支えてくれるのは、一本の煙草以外に何もない時だってある。

ギリギリの選択というのがある。
今、世界が直面しているのは、戦争と環境破壊だ。
たった一つの問題が、天秤《てんびん》にかけられる時に、その支点をどこに置くかが重要になる。
片天秤と両天秤のどちらを選ぶかも重大である。

当然そこに迷いがあるにしても、最善の解決策を求めるには、慎重な相互理解が必要だろう。もちろん破滅は絶対に避けなくてはならない。

〈エンド・オブ・ザ・ワールド〉という歌が聞こえてくる。歌声が続いている間は、とりあえず私たちは生存している。

このことを知っていれば、一服しようとなるのではないか。行き詰まったら、一本のタバコに落ち着いて火をつけてみようではないか。それこそが知恵というものではあるまいか。

山田風太郎さんの『くノ一忍法』を映画化する企画を持った若松孝二さんに誘われて、山田さんの家を訪ねたことがあった。

黙々と三人で煙草ばかり吸って、数時間が経過した。室内には暗闇が迫り、灰皿だけが満腹になっていた。

いつかこの話は立ち消えになったが、夢は残った。楽しい空っぽな一日だった。

第六章

煙草の似合う女神たち

リリー・マルレーンの生涯

品川プリンスホテルのロイヤルスイートに一歩足を踏み入れた私は、まるで電流に打たれたかのように激しい戦慄を覚えた。

中央の大きなソファにゆったりと腰を下ろしているのは、紛れもなくマレーネ・ディートリッヒだった。薄紫のドレスに身を包んだ、若き日の憧れの女優は燦然と輝く素敵な宝石そのままであった。

一九七四年のことだから、ディートリッヒは七十三歳だった。すでに老境に入っている筈なのにこの美しさは何なのか。私は呆然として、挨拶することも忘れていた。

「マレーネ、彼は日本唯一のカウンターカルチャー・マガジンの編集長です。あなたを表紙に取り上げる許可を貰いに来たのです」

私を彼女に紹介したのは竹中労《たけなかろう》だった。今回の二度目の来日をプロモートしたのは、何とルポライターの竹中さんであった。どういうルートだったか詳細は知らなかったが、ディートリッヒのディナーショウを東京と大阪で企画し、京都見物に連れて行く計画は私も知っていた。『話の特集』の表紙に登場してもらい、同時にインタビュー記事を掲載するという条件で、私は竹中さんに三十万円を支払う約束だった。

たどたどしい英語で私が会えた喜びを伝えると、ディートリッヒは右手を差し出した。華奢で細く美しい指には大きなダイヤが光っていた。

「Smoking?」

と、色彩豊かなパッケージの高級煙草「ヴォーグ」を勧められた。抜き取って口にくわえると、カチッと金色のカルティエのライターで火をつけてくれたのだった。

私が味わうように吸い込んで静かに煙を吐くと、それを気に入ってくれたらしく、「Oh、sweet」と言って笑顔を見せてくれたのである。どうやら合格したらしい。表紙とインタビューの許可をもらって、約一時間の時間を作ってくれることになった。

初対面の時の彼女の煙草のたしなみ方が、なかなか素晴らしいパフォーマンスに思えた。

後で竹中さんから聞いたことだが、マレーネを日本へ呼ぶためにおおよそ一千万円のキャッシュを前金として支払ったと言う。よくそんな金があったものだと驚かされた。なにしろすでに彼女のファンは過去の存在であっただろうし、私のように夢中になるメディア関係者は少なかったに違いない。

竹中労はいわば一世一代の大バクチを打って、マレーネ・ディートリッヒを日本へ招聘《しょうへい》したようである。

一九〇一年十二月二十七日にベルリンで生まれた彼女は、一九二〇年代にドイツの大スターになった。一九三〇年にハリウッドに招かれ、『モロッコ』に主演した。

しかし、ヒトラーが政権を取り、ナチスドイツが支配するようになってそのままアメリカに亡命、反戦歌『リリー・マルレーン』によってハリウッドのトップスターの座を射止めたのだった。

美しい脚を黒網タイツに包み、長いキセルで煙草をくゆらせる姿は、全世界にファンを作った。いわばトレードマークのように、彼女と煙草はスクリーンの中で定着していた。

そのマレーネ・ディートリッヒが、初めて日本へ来たのは大阪万博のアメリカを代表する民間大使としてだった。折からベトナム戦争が泥沼化していて、彼女は『リリー・マルレーン』を歌うことによって、戦場を捨てて帰って来るよう兵士たちにメッセージを贈ったのだった。

私はテレビでその姿を見て感動した。その四年後ではあったが、自分の雑誌の表紙を飾ってくれる。竹中さんから破格の金を要求されても少しも驚かなかった理由もそこにあった。

いささかも媚びることのないディナーショウだったが、最後の曲『リリー・マルレーン』は出色の出来栄えだった。二万円の料金は当時としては高い金額だったが、一気に五曲歌って、煙草に火をつけて去った。僅か三十分ほどのステージだったが、美事な自己演出であった。煙草に火をつけて、背筋を真っ直ぐにして、そして消えて行った。その姿は永遠の美しさにあふれていた。

外国映画のスクリーンでは女優と煙草は切っても切れない。私は煙草が小道具として登場する沢山の名シーンを覚えている。

『カサブランカ』のイングリッド・バーグマン、『アニーよ銃をとれ！』のベティ・ハットン、『ティファニーで朝食を』のオードリー・ヘップバーン、『アパートの鍵貸します』『喝采』のシャーリー・マックレーン、『サンセット大通り』のグロリア・スワンソン、まだまだ煙草と女優のコラボレーションは数限りない。『昼顔』のカトリーヌ・ドヌーブは、七十五歳の今も、是枝《これえだ》監督作品『真実』で、美しい煙草ぶりを見せたのだった。『冒険者たち』のジョアンナ・シムカスも忘れられない。煙草のケムリと共に素敵な演技を見せてくれた。『突然炎のごとく』のジャンヌ・モローは瞼に焼き付いている。

マレーネ・ディートリッヒは自らもまたリリー・マルレーンとの生涯を送ったと言えるだろう。九十歳までその反戦への意志を貫いてこの世を去っている。一九九二年五月六日のことだった。

そっくりさんとの交流

文学座の女優太地喜和子《たいちきわこ》と、ピアノ弾き語りで知られた歌手で、ヘンリー・ミラー夫人でもあったホキ徳田《とくだ》。この二人ほど似ていた人には出会ったことがない。うっかりすると見分けがつかなかった。

どういうわけか、二人が一緒にいる場に私は呼び出される機会が多かった。『話の特集』で「そっくり対談」を企画して以来というもの、「遊びましょ」と時折り連絡をくれるようになったのである。

煙草の銘柄が一時期三人同じだった。だからテーブルに一箱あれば済む。アメリカ煙草の「キャメル」の両切りである。一本の煙草を三人で回し喫《の》みするというドラッグ的な楽しみもあった。私は下戸《げこ》だったが、二人は大酒飲み。もちろん正気《しらふ》の私がベロンベロンになった二人を明け方に愛車で送るハメになるのだった。

ホキさんの方が少し年上だったが、喜和子さんとは危なっかしい性格がそっくりでもあった。とにかくきわどい会話と仕草《いたずら》が好きなのである。私はのべつ玩具《おもちゃ》にされた。

男性の私がタジタジとするほどの打ち明け話が披露されたり、突如ストリッパーになる。そして酔って歌って、夜明けを迎えるのだった。

「これってさあ、タバコのセイよね」

「そうよ、同じタバコだから切らすことがないんだもの」

私が1カートン持参して来るのだから無くなるワケもないのだが、何より面白いのが、男性遍歴の豊富な二人があけすけに話す男たちのあれこれだった。

「矢崎の兄ちゃんて、わたしたちのこと豚か狸だと思っているのよ」

「そうそう、食べたそうにしているよね、いつも。その癖、シャイで臆病なんだから」

ホキはニューヨーク暮しだから、東京に帰って来る時にしか会えなかった。私は時折りロサンゼルスの彼女のバーを訪れることはあったが、たいていラスベガスに行く時なので、ちょっと顔を見るだけ。でも、必ず喜和子に渡してくれとお土産を預かって帰る。

女優喜和子は結構多忙だったので、公演中の楽屋に届けたりした。まじまじ見ると少しも美人じゃない。でも魅力たっぷりだった。それにしても二人が似ているのは顔だけではなく、趣味も体型もそっくりだった。


一九九二年十月十三日、テレビを見ていたら、太地喜和子事故死のテロップが流れた。伊東港で馴染みのバーのママが運転する車に乗って、海へ落ち溺死したのだった。一週間後にホキが東京へ来るので三人で会う約束をしていた。私のショックは大きかった。

同じような経験が私にはあって、向田邦子《むこうだくにこ》さんが台湾旅行に出かける時、「一週間したら珍しい食材持って帰るから、わたしの家に食事に来てよ」と、約束して別れた。

私の事務所の近くに向田さんは住んでいて、近くの『大坊』というコーヒー屋で、煙草一箱空《から》にしてしまうくらい話が弾むことがあった。向田さんは飛行機事故だったが、短い間に二人の女友達が事故で死ぬなんて考えられない事だったし、約束したまま永遠の別れになったことが悲しさを増した。

向田邦子さんも太地喜和子さんも、ほぼ同じ年齢の頃に亡くなっている。紫煙の向こうに二人がよぎる想いが今もある。いつまでも若くて魅力的なままである。ホキは今、何処でどうしているだろう。ピアノ・バーで歌っているのだろうか。

歌手たちの思い出

懐かしい歌手たちは大抵煙草好きだった。淡谷《あわや》のり子《こ》さんは、

「酒は悪いけど、煙草は大丈夫。歌い手の喉はそういうふうに出来てる」

そう言っては、私の煙草を取り上げておいしそうに吹かしていたものだ。青森の生まれだったから訛《なま》りが強かったが、実際にはキチンとした標準語のしゃべれる方でもあった。その証拠に歌詞は決して訛らなかった。

しかも大層な話術の達人で、嫌がるのを二度引っ張り出して雑誌で対談してもらったことがある。若い頃からの苦労が身についている人は、どなたも話し上手である。しかも味があった。

煙草はお先タバコ派で、私に会うといつも最初の言葉が「持ってる?」だった。そして、気

岸洋子

淡谷のり子

持ち良さそうに煙を吐く一風変わった愛煙家でもあった。もっとも誰にも煙草をねだっていたから本格派とはお世辞にも言えなかった。

ある時、煙草を持ってなくて不自由ではないかと尋ねたことがあった。

「一人で喫《す》っても美味《おい》しくないし、いろいろな煙草を喫う楽しみもなくなるのよね。それにわたしは太ってるから、身につけたら潰しちゃうもの、煙草が気の毒」

答えはユーモアに富んでいた。

シャンソン歌手の岸洋子《きしようこ》さん、越路吹雪《こしじふぶき》さん、戸川昌子《とがわまさこ》さんの三人は共にタバコ好きだった。豪快な感じも似ていた。

洋子さんは晩年、膠原病《こうげんびょう》を患って苦しんでいたが、自分は霊能力が強いと信じ込んでいた。

「矢崎さん、ついこの間わかったけど、わたしとあなたは前世で兄妹だったのよ。どうりで気が合うと思ってた」

私はびっくりして、どうしてそんなことがわかったかを問う。

「でも驚かないでね、それが人間じゃないの。豆狸《まめだぬき》の兄妹。それは仲良くて、毎日野山を一緒に走ったりしていた。助けてもくれたし、いろいろなこと教えてもらった。もっと感謝しなくちゃって思ったわ」

とにかく変わった人だけど、暇があると麻雀をやりたがった。相手の一人はいつも決まっていて、作家の有吉佐和子《ありよしさわこ》さんだった。とにかくこの二人は考えるので遅いのが特色。私にとっては避けたいタイプだった。

でも、前世で豆狸の兄妹とわかってから、「都合が悪い」と嘘をつくと、何故かすぐにバレるのだった。やっぱり霊感はあったのだろうか。

卓を囲むのは杉並区堀ノ内の有吉さんの家だったが、部屋は煙草のケムリでいつももくもくしていた。一手切るのに二本も三本も煙草に火をつける。ついつい私も待ち切れなくて煙草を喫う。だから部屋は煙々《けむけむ》になる。

麻雀をやると煙草が増えるのは越路吹雪さんも同じだった。しかも終わりたがらないタイプだから、翌日仕事がない限り必ず徹夜になった。越路さんの親友である作詞家の岩谷時子《いわたにときこ》さんもしばしば加わっていた。弱いのに勝つまでやめないタイプは一番始末におえない。私の知る限りでは強い女性は二人しかいない。

その二人とは岸田今日子《きしだきょうこ》さんと加賀《かが》まりこさんだが、この二人については後述することにしよう。

歌手では美空《みそら》ひばりさんとも麻雀をした。たいていオフクロさんが参加していて、この人はとても強かった。ひばりちゃんが頭が上がらない理由はこの辺にあったのかも知れない。

私はもとより舞台やスクリーンで見る美空ひばりのファンだった。したがって、素のママで煙草をスパスパ喫うひばりちゃんにはなかなかなじめなかった。ある夜、横浜のひばり御殿で一大バトルが繰り広げられた。

それには次のような経緯《いきさつ》があった。

「中年御三家」（小沢昭一、野坂昭如、永六輔）で日本武道館をビートルズ以来超満員にしたことに味を占めた私は、「中年女御三家」なるものを演出家の藤田敏雄《ふじたとしお》さんと企画したのだった。

つまり、美空ひばり、江利《えり》チエミ、雪村《ゆきむら》いづみの仲良し三人組に目をつけたわけである、世間をアッと言わせるステージになることは間違いなかった。

ところが偉大なる難敵が登場する。ひばりちゃんのビッグママであることは言うまでもない。

「矢崎さん、お嬢は他の二人とは格が違います。タイトルは女御三家で構わないけど、ギャラはチエミちゃんといづみちゃんの二人分を足した金額でなければ受けられません」

美空ひばり

人気からはもっともな話ではあったが、対等平等でなければ構成上もギクシャクする。スタッフに加わっている舞台美術の朝倉摂《あさくらせつ》さん、照明の第一人者今井直次《いまいなおじ》さんにも納得してもらえない。演出の藤田さんが一番強硬に並びを主張した。男御三家をあくまで踏襲せよという。

ひばりちゃんは納得しても、すんなり行かない。

「わたしは対等でいいけど、ママは一度言い出すと聞かないからね。何とかいい方法はないかしら……」と、思案するばかり。

「わたしも口添えするけど、ここは当たって砕けるしかないわよ」ということになって、ママを加えて三人でディナーを共にした。粘る私に手を焼いたビッグママはついに奇妙な妥協案を口にした。

「ヨシ、大バクチをやろうよ。麻雀のプロ雀士二人を加えて、わたしと対決しよう。矢崎さんが勝ったらお嬢の出演を認める。わたしが勝ったら諦めて下さい」

横からひばりちゃんがこの提案を受けるように、私に促すのだった。私も麻雀ではプロ級の腕前だが、もしも三人に組まれては勝ち目はないだろう。しかし、これは唯一のチャンスでもあった。何しろすでに会場は仮押さえしてあるのだから、一刻の猶予も許されなかった。

ひばり御殿で決戦の夜がやってきた。半荘《ハンチャン》二回。ママと私の点差が百点でも終了時に勝敗を決める。イカサマは禁じるということで阿佐田哲也さんが立会人として同席することになった。つまりギャラリーは麻雀の神様とお嬢の二人。

その真剣勝負で健闘空しく私は大敗を喫してしまった。ビッグママとは僅か三百点差ではあったが、阿佐田さんが居眠りをしている間にプロのイカサマを見逃し、役満を私は打ち込んでしまったのである。

会場を上野文化ホールに移して、江利チエミと雪村いづみの『タイトルマッチ』というステージを三日間やったが、結果は赤字公演に終わった。

「運がなかったね。でもステージは面白かった」

ひばりちゃんは銀座のレストランに私を招いて慰めてくれた。言葉少なく二人で煙草をもくもくと喫った。本当はひばりちゃんは三人でショウをやりたかったのである。ひばりと小林旭《こばやしあきら》を強引に別れさせたビッグママは冷血そのものだったが、それなりの矜持《きょうじ》の持ち主だったと今は懐かしく思い出す。

煙草がらみで懐かしいのは浅川《あさかわ》マキさんと島倉千代子《しまくらちよこ》さんだ。二人は片時も煙草を離さなかった。どことなく淋し気な印象が瞼に焼きついている。うつむきがちに静かにくゆらす。そこが共通していた。

浅川マキさんのライブを見た後で、五木寛之さんとの「深夜対談」を私がセッティングしたことがあった。三人で狭いエレベーターに乗った時、マキはエレベーターの隅の一角に顔をつけるように立っていた。

山下勇三

「わたしって明るいところで顔を見られたくないの」

その時のことを説明されたのはずっと後だったが、対談中も煙草を喫い続けていたマキは舞台以外ではとことん内気な性格だった。煙草嫌いな五木さんが辟易していたことが印象に残っている。

シャイではあったが、浅川マキほど心優しい女性は稀であった。だから、あれほどの心に沁みる深い歌をうたうことができたのだろう。


島倉千代子さんも飛び切りのお人好しだった。私が構成・演出をしていたTBSの『ナイトUP』というテレビ番組にはお千代さんが準レギュラーで出演してくれていた。各界の著名人がゲストとして登場し、島倉千代子がリクエストされた曲をその一人の為にだけ歌うというコーナーが人気だった。

イラストレーターでカーレーサーでもあった山下勇三《やましたゆうぞう》さんがゲストのときのエピソードを書いておこう。リハーサルではそれほどでもなかったのに、いざ本番となると山下さんがカチカチにあがってしまった。突然煙草に火をつけて黙りこくる。大の島倉ファンだった。

「何を歌いましょう」

お千代さんが労《いた》わるように優しく山下さんに問いかける。

「歌わんでもいいです」と、山下さん。

これでは番組にならない。お千代さんは自分も煙草に火をつけて、ひと呼吸おいてから、

『からたちの花』がお好きだって、顔に描いてあります。歌っても構いませんか」

島倉千代子さんの柔らかい眼差《まなざ》しが山下さんを包み込む。山下さんはやっと顔を上げて、投げつけるように言った。

「歌いたかったらどうぞ。ボクは煙草喫いながら聞いてます」

「ハイ、ではバンドのみなさん音を出して下さい」

とても良かった。山下さんは感動の余り、ポロポロ涙をこぼしたのだった。

二人共、アッという間に逝ってしまった。悲しかった。

忘れられない女優たち

岸田今日子さんは煙草を口にしない人だった。好きな麻雀は時間の許す限り友人たちに声をかけ、自宅に招いて遊んでいた。卓につくと綺麗な灰皿が横に必ずある。気を使うことでは群を抜いた人だったのである。

麻雀の楽しみ方はいろいろだけど、今日子さんの場合は言葉に出来ないほどの和《なご》んだ雰囲気があった。天衣無縫というか、実にのびのびとしていた。

『週刊ポスト』の誌上有名人麻雀大会では三度も優勝している。運の良さもあったのだろうが、どちらかと言えばいつも勝ち組であった。それでいながら、いざお開きとなると、「わたし幾らですか」と、財布を手にしている。勝つ欲より、打つ楽しさが大きいのだろう。勝ち負けに頓着がないのである。麻雀と俳句と旅が同じくらい好きだった。海外旅行から帰ると『話の特集』に旅行記を執筆してくれ、著書も三冊上梓している。

生涯の友だちだった吉行和子《よしゆきかずこ》さんと冨士真奈美さんは現在も活躍されているが、会えば今日子さんの話が出る。語り尽くせないほどのエピソードを持っている人でもあった。

岸田今日子さんと対照的な大女優は加賀まりこさんだ。麻雀は数え切れないほどご一緒したが、独特な打ち手で鋭いセンスを備えている。ただし欠点がひとつだけある。いわゆる「テンパイ煙草」だ。私はそれを見逃さない。煙の出し方で、どの程度の手なのかも推理できる。サンマ（三人麻雀）にのめり込んでからは、私が尻込みするようになった。

それでもほとんど負けを知らない人だから凄い。気を殺す名人なのにテンパイ煙草だけはやってしまう。

もしかすると若さの秘訣が煙草にあるのかと思えるほどのヘビースモーカーだ。私は彼女が二十代前半ころからの雀友のひとりだったから、手の内は知りつくしているつもりだが、とてもクレバーな打ち手である。時たまテレビの麻雀番組にも出演されているが、並みの打ち手でないことを思い知らされる。的確な判断力があるだけでなく、リズムが良い。これまで知っている女性の打ち手では一番強いことだけは確かである。

面識もなく、話す機会も無いまま二〇一〇年に亡くなられてしまった女優の高峰秀子《たかみねひでこ》さんは実に魅力的な方だとずっと憧れていた。その理由は木下恵介監督作品の『カルメン故郷に帰る』にトコトン惚れているからに他ならない。

高峰さんは煙草を喫わなかったように思うけれど、この映画の中で見せてくれた煙草のシーンは格別なのだ。まさに小道具としての煙草の素晴らしさを１００パーセント生かしていると高く評価している。演技によるものには違いないのだが、これほど煙草の魅力がアピールされた映画は少ない。

一度会って、高峰さんに直接、煙草をたしなまれるかどうかを聞いてみたかったと今でも思っている。でも、煙草とは縁のなさそうな女優が、手にしているシガレットで瞬時にして状況を変化させてしまうなんて神業に近い。

「煙草の似合う女神たち」ほど理想的な存在は他にない。私はダ・ビンチの描くマリアの手に煙草を持たせたいとずっと思い続けてもいる。そこには香り高い文化の情景が無限に広がって行くような気がしてならない。

青少年の喫煙を抑止する為に、映画やテレビで出演者に吸わせないようにという動きがあるが、これほどナンセンスな話はない。煙草好きの女神たちによって、私がどれほど癒されたか計り知れない。

声を大にして言っておきたい。煙草は人類が発見した最高のアートなのだ。人体に悪いからと煙草を禁じるあまり、自由を奪った上でストレスを与える。

こうした硬直した社会だから、暴力の最たる戦争がなくならないのではあるまいか。

第七章

アーチストは煙草を愛す

煙草が美味《うま》い!

あゝ、また逝ってしまったか。

愛煙家の友人がこの世を去って行く度に、寂莫《せきばく》たる思いが胸中に宿る。煙草がスポイルされる現代にあっては戦友を失ったような深い悲しみすらある。

だが、思い起こせば、同世代の方々は言わずもがなの高齢である。スモーカーとしてはどなたも超のつくベテラン揃いなのだ。しかも、楽しみ親しむことはあっても、煙草を片時たりとも離さなかったという輝ける勲章を高くかかげているのだった。

「今日も元気だ、煙草が美味い」というキャッチ・コピーは専売公社時代の有名な傑作コピーだが、最近になって私は大変に重く受け止めている。

私は今を遡《さかのぼ》る八十年前、一九三六（昭和十一）年二月二十六日、つまり二・二六事件の夜、肺炎で生死の境をさ迷っていた。かかりつけの医師は朝まで命は保《も》たないだろうと告げて立ち去ってしまった。

その直後、私の名付け親で文藝春秋社社長の菊池寛さんが、一人の外国人医師を伴って病室にやって来た。フレミングという名のイギリス人医師は文春から講演に招かれ訪日中の人物だった。診察後、鞄から注射器を取り出し、私に注射をした。

その注射は、まだ試験中だったペニシリンであった。奇蹟的に私は蘇生し快復した。その時封印された菌が、ずっと私の体内に宿っていたらしい。今年五月初めに高熱を出した私のレントゲン写真が、その病原菌を八十年ぶりに発見したのであった。

乾燥性肺炎が古い菌に合体して、私は危篤状態になり、入院治療の後に九死に一生を得て復帰を果たした。もちろん医療のおかげではあるが、咳込んで喫煙出来ない日々が続き、一ヶ月ぶりにようやく煙草を美味しく感じることが出来た。そう、「今日も元気だ、煙草が美味い」を実感することが改めて出来たのである。

蜷川さんの思い出

まえがきが長くなった。交友録に入ろう。

古い友人の演出家・蜷川幸雄《にながわゆきお》と脚本家で浪曲界の影の重鎮でもあった大西信行《おおにしのぶゆき》が相次いで他

界した。ヘビースモーカーの二人を一気に失ったショックは大きかった。

蜷川さんとは彼のアンダーグラウンド修業時代からの付き合いだったから、おおよそ五十数年になる。もともと群衆劇をテーマにしていた人だから、舞台稽古はいつも大勢の俳優たちに囲まれて演出している。いわば人間の渦の中に椅子にかけた蜷川さんはドッカリと腰を下ろしていた。そこからは紫煙が立ち昇っている。もうもうと言った方がよいかも知れない。その場にいる他の誰もが煙草を吸ってはいないのだから、一段と目立つケムリであった。

トイレに立つ時ですら、口に煙草をくわえている。何度も連れションをしているから、私はこの姿を実際に目撃していた。

ポトリと灰が落ちる。

「あちち」と、大騒ぎになったりした。

そんな懐かしい光景が今も思い浮かぶ。演劇人にはのべつ煙草を口にしている人が少なかった。本来煙草が苦手だった寺山修司さんのように恰好をつけてくわえていた人もいないではなかったが、浅利《あさり》慶太《けいた》、唐十郎《からじゅうろう》、倉本聰、井上ひさし、小沢昭一、市川崑、つかこうへい、瞬く間に何人もが思い出の彼方に浮かんで消える。この人たちはもう煙草そのものがスタイルとして定着している特異な姿勢だったとも言える。

シガレットそのものが、指揮者のタクトにも似た存在だったのだろうか。あの場にもしも煙草がなかったら、芝居は完成したのだろうか。そんな気持ちを私は幾度も味わったように思う。

もちろん美味しそうに煙を吐いているときもあれば、苦汁に満ちた表情でくゆらせている時もあった。しかし、その仕草の中に自らのポリシーを必死に燃やしていたに違いなかった。そして、傑作が誕生して、大喝采を浴びる。紫煙の中に照れている顔が佇んでいる。そこがまた、大層な魅力でもあった。

大西信行さんについての思い出も煙草と共に印象に残っている。大西さんは麻布中学在学中、同級生に小沢昭一、フランキー堺《さかい》、仲谷《なかや》昇《のぼる》、加藤武《かとうたけし》といった未来の俳優たちがいた。大西さんは役者になる気持ちがなかったのか、浪曲や落語に耽った。正岡容《まさおかいるる》に師事した後、シナリオ作家としてやがて放送演劇の世界に登場する。

後に三十年以上も続いたTBSのテレビドラマ『水戸黄門』を大ヒットさせるが、いつも裏方に徹していた。ただし静かにではなく極めて激しく、ふてぶてしく、八十六年の生涯を貫いた巨人でもあった。

私が大西さんを知ったのは、七〇年代の初め頃、小沢さんに紹介されたからであったが、初対面の挨拶をしたとたんに、

「キミ、煙草持ってるだろ」

と、何気なく乞われた。当時愛用していた『キャメル』の箱を渡すと、一本くわえた直後に、自分のポケットに仕舞ったのである。それはないだろうと私はびっくりした。

「これ、貰っておくよ。洋モク久し振りだから」ときた。

何と言う図々しさか。さすがに小沢さんがあわてて奪い返して私に返してくれたが、大西さんはケロリとしている。顔色ひとつ変えない。

「こいつの仇名《あだな》教えるよ。『下品』てんだ。ぴったりだろ。麻雀やればもっとはっきり判る」

と、小沢さんが言った。なるほどなあ、いろいろなニックネームは知っていても『下品』とは凄いと思った。

初対面の日に麻雀の卓を囲んだ。まさに『下品』が似合う打ち手だった。リーチと宣言したとたんに点棒を場に乱暴に放り投げ、和了《あがり》と告げる直前に、

「ドシン、バチン、ドカン」

と、叫ぶ。振り込んだ人はダメージを受けるばかりか、大西さんの吐き出した煙草のケムリを浴びるという洗礼を受ける。腹を立てる前に、その勢いに呆然とさせられるのだった。

『話の特集』に「落語無頼録」を連載するに当たっては、締切日は守ってくれたが、原稿と稿料を同時交換という要求を呑まされた。

もうひとつエピソードを書いておこう。

当時は新進気鋭の映画監督として知られていた長谷川和彦《はせがわかずひこ》をビビらせるという一幕があった。長谷川さんのニックネームは『ゴジ』という、肉体的にゴジラのそっくりさんから付けられた仇名だったが、『ゴジ』もまた下品では有名であった。何しろ態度がでかい。負けても払

わない。ところが勝つと追いかけて行っても取り立てる。大西さんと長谷川さんは、いわゆる癖の悪い麻雀打ちの双璧であった。

ゴジが一旦場に切ったパイを再び手の中に入れようとした。その時、すかさず待ったをかけたのが大西さんだった。

「おい、一度出したらダメだ。チョンボにするぞ」

と、下品。とたんにゴジが、

「オレ、生まれつきの下品ですから、かんべんして下さい。それに大西さんだって、さっき先ヅモしてパイをこっそりスリ変えたじゃないですか」

と、うっかり下品という言葉を使ってしまった。大西さんは下品の大先輩。怒りに火がついた。

「待てよ、同じ下品でも、昨日今日《きのうきょう》の下品じゃないぜ。もうずっとオレは下品をやってるんだ。許せねえ。詫びるなら煙草《モク》をカートンで買って来い」

ゴジはすごすごと煙草屋へ向かったのだった。

ところが、大西信行はただの下品ではなかった。女性には優しく、実に礼儀正しかった。大西さんには女性ファンが沢山いたのも事実だった。大西さんに貢ぐ女性は後を絶たなかった。ヒモ体質だった。もっとも、ゴジもその点では師匠に負けはしなかったが……。

フィルムを忘れても煙草は忘れるな！

昨今、デパートや大きなショッピング・モールには喫煙室なる隔離されたスペースが用意されている場合が多い。ないよりはマシだけれど、私は分煙室が大の苦手である。あそこで煙草を吸っても美味しくない。つまり他人の煙が蔓延していて息苦しいばかりか、自分の煙草の味が極端に削《そ》がれる。つまり、煙草好きなら誰でも同じだろうが、空気のきれいなところでゆったりと吸いたいのである。

さて、アーチストと言えばすぐに頭に浮かぶのはアニメーション映画作家の宮崎駿《みやざきはやお》さんだ。この人の愛煙家ぶりは素晴らしいの一語に盡《つ》きる。残念ながら一緒に煙草を吸ったことはないが、私が感動するのは、宮崎さんの余裕のある喫煙ぶりである。

二〇〇三年に『千と千尋の神隠し』で第七十五回アカデミー賞を受賞した時の立ち居振舞いは惚れ惚れするものがあった。タキシードに髭面《ひげづら》がまたなかなかのもので、インタビューを受けながら片時も煙草を離さなかった姿がとても似合った。ハリウッドを完全に煙に巻いていた。『風立ちぬ』という長編アニメーション映画でも主人公が喫煙するシーンが度々登場するだけでなく、その必然性が見事に強調されているあたりがとても感心させられた。

NHKテレビのインタビューを受けても、煙草を口から離すことは一切なかった。仕事場でも、ジブリの森を散策しながらも、その姿勢は全く変わらない。何かと保守的で良風美俗を重んじるNHKにとっても、宮崎さんには何も言えなかったに違いない。堂々たるものだった。

つまり宮崎さんから煙草を取り上げることなど誰にも出来ない。宮崎さんと煙草ほどマッチングしているものも他にないのである。しかも、そのさりげなさは、極めて高い文化の香りを醸《かも》し出すのだった。


映画監督にはヘビースモーカーが多かったが、最近の人たちはどうなのだろうか。小津安二郎《おづやすじろう》、稲垣浩《いながきひろし》、木下恵介、市川崑、黒澤明、といった巨匠たちはことごとく煙草をくわえながらメガホンを取っていた。

ハリウッドを訪れた時に、ジョージ・キューカー監督のロケーションに同行する機会があった。ロケバスの中でも、ロケ地に到着して撮影が始まっても、キューカーさんは何時も煙草をくわえていた。

その映画の題名は『リッチ&フェイマス(邦題:ベストフレンズ)』。キューカーさんはその時、八十五歳だった。主演女優のキャンディス・バーゲンが、もちろんジョークなのだが、

「ねえ、ジョージ、煙草が邪魔になることないの? 今、わたしがミスしたこと見えなかったんじゃない? OKと言ったけど……」

「ハハ、それは甘いよ。ラストカットは見逃したんじゃなくて、そのまえのテーク2を使うつもりでOKを出したんだよ」

ちゃんと一本取っている。ジョージ・キューカーの最終作で、ジャクリーン・ビセットも出演していた。

彼のセクレタリーをつとめてた「赤毛のマリー」というニックネームの美女が、

「フィルムを忘れても煙草だけは忘れるな！　それがボスの口癖なの」と、教えてくれた。

キューカーさんが愛用していた「キャメル」には、金色のG・Cというイニシァルが印刷されていたことも忘れられない。別れる時にワンカートンお土産にプレゼントされたが、タバコ会社に特注していることが、いかに煙草を好んでいたかを印象づけてくれたのだった、ちなみに、それは一九八〇年十二月九日のことだった。

ついでにと言っては変だけれど、アル・パチーノとロバート・デ・ニーロが共演した映画は何本かある。二人共にヘビースモーカーで知られているが、映画の中でも煙草は随所に登場する。しかもこれが重要なシーンで披露されている。映画好きでなくとも覚えている方が多いに違いない。

パチーノは口にしたままのカットが多いが、デ・ニーロは人差指と親指とでしっかりはさんでいる。この特徴に気付いているとすれば、よほどのお二人のファンであろう。激しいやり取りの中で、煙草が果たしている役割はなかなかなものだ。

シガレット派が圧倒的に多いのだが、ハリウッドではシガー派も少なくない。ことにアル・パチーノの『ゴッド・ファーザー』でのシガーさばきは独特であった。父親役だった名優マーロン・ブランドは葉巻役者ともいえるシガーの達人だったから、その後継者としての演技は見所十分であった。唇のどのあたりにくわえるか、煙をどのように吐き出すか。その違いが極めて細部を彩ってくれていた。

ヨーロッパのスターたちにも煙草俳優と呼べるような人が少なくない。リノ・ヴァンチュラ、アラン・ドロン、マルチェロ・マストロヤンニの三人は中でも絶品だった。雰囲気を醸し出すまさに小道具としても重要な役割を受け持たせていた、いわゆる決定的なシーンで煙草が効果を発揮するのだ。そんな感じがしてならなかった。

『冒険者たち』のリノ・ヴァンチュラは放蕩無頼ぶりを見事演じていたし、アラン・ドロンは相手役の女優たちをたいてい巧みに煙に巻いていたようでならない。

最も印象に残っているのが、『甘い生活』のマルチェロ・マストロヤンニだった。このフェデリコ・フェリーニ監督作品では、マストロヤンニがまさに片時も煙草を離さずの本領発揮であった。時代感覚そのものを、ものの見事に表現した演技だったのである。そして、煙草が大きな役どころを演じてもいた。吸うだけでなく、捨て方にも工夫があって、大層魅力的だった。ことに海岸で大きな魚が打ち上げられた時に、煙草をくわえたマストロヤンニが見せた背徳そのものの仕草が作品の成功を決定づけたと言える、忘れられない名場面だとつくづく思う。

世界に広がる嫌煙ムードの中で、煙草が主役になるような映画や演劇は次第に少なくなりつつある。ことに日本では、映画や演劇だけでなく、テレビでは徹底的に煙草シーンは排除されているように思う。骨のある役者やプロデューサーが少なくなっていると思えてならない。

例えば、NHKの朝ドラとか大河ドラマでは、当然無くてはならないところでも、煙草はカットされる運命にある。これほど不自然なことは他にないだろう。歴史上の事実ですら隠蔽してしまうのだから言語同断とすら言えよう。ことに酷いのは民放系テレビである。ダラダラ長いだけのバラエティ番組で煙草を吸う人は一人もいない。煙草隠しは一体誰に命じられてのものなのか。情けない話である。

おそらくアーチストたちの煙草好きの方々《かたがた》も困っているかも知れない。私事になるが私は最近出演した二本のNHK・BSテレビで煙草を吸い続けた。やれば出来る。頑張ろうではないか。

タレント諸君もバラエティで笑ってばかりいては、一人前のアーチストにはなれませんよ。これ先輩からの貴重な警告だと、肝に銘じてください。

人間国宝は「火気厳禁」

話は交友録に戻る。亡くなられた上方落語の重鎮だった桂米朝《かつらべいちょう》師匠も大の煙草好きだった。若くして人間国宝になられたお方だから、その煙草好きは意外と特異な眼で見られることが多かったようである。

そのころ、国宝があちこちで放火され、消失するという事件が頻発した。

米朝さんの親友の一人だった小沢昭一さんが、「国宝桂米朝を守る会」なるものを立ち上げた。もちろんお遊びである。「米朝火気厳禁」というお札を作って友人各位に配ったのだ。一番困惑したのは、米朝さん本人だった。これでは煙草がノビノビ喫《す》えなくなると必死で抗議する次第と相なった。何しろ持ち物から着衣《きもの》に至るまでステッカーをはられてしまったのだから、うろたえてもおかしくない。『話の特集』の原稿打ち合わせで米朝さんに会ったところ、いろいろなグッズを私の前に並べた。その中で当時はまだ一般的になっていなかった携帯灰皿が七つもあった。とにかく火事を自分から出すなという仲間たちからのプレゼントだったのである。

「確かに国宝建造物はあちこちで被害に遭ってるけど、私《わて》は人間ですからね。国宝という称号を頂いたのも気恥ずかしいわけで、からかいの対象にされるのはとても心外ですよ」

米朝さんは本気になって困っているようだった。とにかく発想発起人の小沢昭一さんに至っては、

「火の用心、火の用心。ここには国宝がいるんだから……」

と、煙草の火をどう始末するかを自分も含めて必要以上に注意を促すのだった。もちろん、これも遊びのひとつであって、米朝さんと小沢さんが月に一度顔を合わせるやなぎ句会の席ではエスカレートするばかりだったらしい。

米朝さんの落語の中に出てくる煙草は、主に煙管《キセル》である。その仕草は軽妙そのものでむろん

名人の域に達していた。ただし、高座では実際に吸うことは禁じられていた。

人の嗜好品には、それぞれ文化の歴史があって、一朝一夕に発達したり広まったりはしていない。栄養摂取を目的とせず、香味や刺激を得るためには文明がずっと付き添ってきたわけだ、煙草と並ぶ物として、酒、茶、コーヒーなどが存在していることは明らかであろう。麻薬だって同じだと思う。

米朝さんは煙草に関してもプロ中のプロであった。小沢昭一さんが銘柄をのべつ変えるのを見て、

「あなたは本当の煙草のみじゃない。味音痴なんですよ。反省なさい」

と、苦言を呈したこともあったという。また前出の大西信行さんには、くゆらせ方の指導もやったらしい。先輩風を吹かせるのではなく、米朝さんなりの美学というものがあったのだろう。

米朝さんが『話の特集』に寄稿された中には、持病だった痔について書かれたエッセイがあった。それも同じ疾病の中でも、特別に巨大なイボ痔についての詳細だった。座布団大にまでなる経緯《いきさつ》をドキュメンタリー・タッチで、しかも面白おかしく表現してくれたのだった。

噺家《はなしか》と座布団は切っても切れない関係がある。その座布団が自分の尻に張り付いて離れない。そこにユーモアと骨稽譚が折りまぜられていて、読む者をして同病の士にしてしまうほどだった。下ネタと言えるかどうか、その区別はむつかしいけれど……。

私は小沢昭一さんと野坂昭如さんの葬儀に出席して、お棺の中と焼香皿に火をつけた煙草を捧げた。焼香に際しては、深々と一服吸って煙を遺影に届くように強く吐きかけ、そして灰の中に線香と同じように差した。紫煙が真っすぐに立ち昇った。それは広い会場のどこからでも見えた。

これは簡単なようで、なかなか努力のいる作業である。遺族の人たちへの配慮も必要だった。もちろん、いちいちお断りはするものの、当方の断固とした意志と、煙草によって引き継がれてきた友情の強さを示すものだった。

私は葬儀を行わないよう遺書には記してはあるが、もし散骨するなら、火のついたままの煙草を骨と一緒に、海上で天高く投げて貰いたいと思っている。今、愛用中の煙草は赤の『チェ』のボックスだとお伝えしておく。どうかお忘れなくご用意下さい。

第八章

禁じられる文化

火野葦平さんと正平さん

NHKテレビから出演依頼があった。国民的映画スターだった渥美清さんの没後二十年に当たっての特集番組で、交友のあった七人によるインタビュー企画という内容だった。

老齢の私は、とうにテレビには耐え難い顔をしております。そこで条件を付けてみた。

「ボルサリーノ（イタリア製ソフト帽子）をかぶって、タバコを吸いながらならば出ます」

多分、NHKは断るだろうと思った。

ところがOKが出てしまったのである。出演しないわけには行かなくなった。

紺色のソフトをあみだにかぶり、画面ではプカプカ煙草をくゆらせている。まさに大成功ではあったが、アップの顔は老醜そのものである。嗚呼！

テレビの出場者が全員禁煙という状況は、NHKは無論のこと民放でも今は同じである。いつ頃からそうなったかは知らないが、かつて生のトーク番組で私自身が吸った記憶がある。灰皿も置いてあった。

今回、私が煙草を吸いながら出演したテレビ番組は、NHKのBSプレミアムだった。得意になって吹聴する私に、友人がソッと教えてくれた。

「NHKでもBSは少しだけユルイんだよ。俳優の火野正平《ひのしょうへい》はレギュラーで出ている旅番組でスパスパ吸ってるぜ」

私は急いでその番組を見た。火野正平さんが自転車に乗って旅をする。あちこちの町を訪ね、いろいろな人と出会い、風物を紹介する。なかなか素敵な番組で、自然の中を一人でペダルを踏む火野さんの魅力にたちまち虜《とりこ》になった。

とりわけ休憩する毎に、おいしそうに煙草を吸う。うっとりさせられるほどにサマになっているのだった。枯れた風貌も魅力だ。

火野正平さんとは面識はないけれど、彼のご尊父である火野葦平《ひのあしへい》さんとは、一九五〇年代に多少の交流があった。(筆者注:後になって、これが間違いだとわかるが、このまま掲載する)

当時、葦平さんは流行作家で、私は『内外タイムズ』の記者だった。「酔人粋筆」というコラム欄に寄稿していただくために九州の住まいに出向いた。

葦平さんは出征して北支に従軍中に芥川賞を受賞し、復員後に九州の若松を舞台にした『花と龍』がベストセラーになった。この作品はいわゆる任侠もので、無頼の世界を見事に活写した傑作であった。

当時の「酔人粋筆」には村松梢風《むらまつしょうふう》、山田風太郎、坂口安吾《さかぐちあんご》、石黒敬七《いしぐろけいしち》、渡辺紳一郎《わたなべしんいちろう》、サトウハチロー、徳川夢声《とくがわむせい》といった当代一流のエッセイストや作家たちが日替りで執筆していた人気コラムであった。

私はその中の一人として火野葦平に加わってもらおうという企画を出し、それが編集会議で通って依頼に伺ったのである。

しかし、その時は引き受けてもらえず、しょんぼりしていると、火野さんは福岡の中洲に私を連れていってくれた。しかもご馳走になり、

「家に泊まっていきなさい」

と、戦時中の話をいっぱい聞くことができた。とても上気嫌だったことを思い出す。

その後、上京された時にも声をかけてもらい、お目にかかることができた。

残念なことに安保で日本中が騒然としている時に、自殺を遂げた。遺言は無かったと聞いた。恐らく、複雑な思いを抱いていたのではあるまいか。葦平さんと正平さんは雰囲気がとても似ていた。

ラジオの時代

二〇一六年七月七日、七夕の日に永六輔さんが亡くなった。八十三歳だった。

TBSラジオの『永六輔土曜ワイドTOKYO』は一九九五年に改編された人気番組だった。午前八時半から午後一時までの四時間半の生番組になって二十年目に、『久米宏のラジオなんですけど』が午後一時から始まった。二時間の同じ生放送だったが、永さんを師と仰ぐ久米さんは大喜びだった。

毎週土曜日に永さんと会える。リスナーには六時間半たっぷり二人のトークを楽しめるわけだから、聴収率は常にトップを走っていた。

私は『土曜ワイド』のブレーンをずっとやっていたので、本番中には、永さんより久米さんに会って話をする機会が多くなった。

それには煙草という共通の楽しみがあったからでもある。TBSはかなり前から分煙になり、各階に喫煙室が出現した。放送は聞こえるが、空調がないので、夏は暑く冬は寒い。つまりスモーカーは冷遇されていた。

そこで私たちは煙草を吸いながら、共通の友人たちの噂話をしたり、世の中を憂いたりする。話題に上がるのは、永さんは無論のこと、チャックこと黒柳徹子さん、当日のゲストなどについてアレコレ話は尽きなかった。

少ない時で二本、多い時で三本というのがその時の煙草の本数である。体調でも悪くない限り一本で終わるということは滅多になかった。

ある日、話の特集社から発行していた『ピープル』の思い出話になった、たった一年で終わった月刊誌だったが、当時のラジオ番組のパーソナリティが一堂に会して作っていた珍しい雑誌だった。

TBSから、久米宏、桝井《ますい》論平《ろんぺい》、野沢《のざわ》那智《なち》、愛川《あいかわ》欽也《きんや》の四人。ニッポン放送からはカメ&アンコウの愛称で知られた『オールナイト・ニッポン』の二人組（亀渕《かめぶち》昭信《あきのぶ》・斉藤《さいとう》安弘《やすひろ》）に加えて、まだ右へ曲がる前の竹村《たけむら》健一《けんいち》。文化放送からは、みのもんたと落合《おちあい》恵子《けいこ》。思えばなかなかのメンバーだったが、当時はまだ全員が新人であった。ラジオのトップランナーでもあった永六輔は何故か参加していなかった。多分『ピープル』は若きパーソナリティに任せようという考えだったのかも知れない。深夜放送が花ざかりだった時代でもあった。

『パック・イン・ミュージック』（TBS）、『オールナイト・ニッポン』（ニッポン放送）、『セイ・ヤング』（文化放送）のいずれも午前零時から早朝までオン・エアして競い合っていたのである。ご存知の方も沢山いらっしゃると思う。

「週一回TBSに集まって編集会議をやっていた。夜は集まれないから昼間だったけど、どうにも乗りが悪かった。気持ちばかり先走って……」

と、久米さんは回顧する。

「全員が煙草をのむから、部屋はいつも真っ白、頭も真っ白」

と、笑う。

すでに他界している人が三人。今も煙草を吸っているのは久米さんの他には落合恵子さんぐらいになってしまった。

「落合さんは熱心に市民運動やってるし、クレヨンハウスのオーナーなのに頑張ってる。よっぽど煙草好きなんだろうね」

久米さんの妻は服飾デザイナー。落合さんとは今も交流がある。しかもヘビー・スモーカーであった。

「煙草やめたら離婚する」

これが、久米さんへの殺し文句になっている。実にいい夫婦だ。いささかも権力に屈しない証拠でもあるような気がする。

反権力の歌

小池百合子《こいけゆりこ》知事が誕生して、第一回の記者会見の時、

「二〇二〇年のオリンピックまでに、東京を禁煙都市にします」

と、宣言した。しかも同じ席で東京湾の埋め立て地にカジノを開設すると宣《のたま》わったのである、禁煙カジノなんて、世界の何処に存在するのか。

そもそも煙草は日本専売公社によって最初から統制されてきた。塩という生活必需品と、煙草という嗜好品が国営の同じ結社でくくられてきたこと自体が奇妙だが、日本では税収の大きな役割を果たし続けてきた。

JTという組織によって民営化されたとは言え、国家による統制品であることに、今も変わりはない。コストとは関係なく販売価格が設定され、国内外を問わず煙草は国の大きな収入源になっているのである。

それなのに愛煙家が迫害を受けていることは納得できない。煙草を吸う人は感謝されて当然なのに、隅っこに追いやられ、前述の小池知事の発言に繋がっている。

煙草の歴史を繙《ひもと》くまでもなく、煙草が貴重な文化としての役割を果たしてきたことは、世界各国で共通な事実なのだ。高い料金を取った上で、健康に悪いという分かり切った表示を強制され、必要以上にケムタがられる。冗談ではないと、私は怒りに全身が震える。

もちろん体質にもよるだろうが、私は七十年以上も煙草を吸い続けて今日に至っている。煙草の効用は、私の場合は絶対にあると思う。

人間にとって最も大切なのはコミュニケーションだろう。煙草はそれを紡《つむ》いでいる。ストレスは解消されるし、和《なごみ》の文化を確実に醸《かも》し出してくれる。それを失うことによって、人間失格に陥る人だっているに違いないのである。

功罪なかばするものはいくらもある。功を無視され、罪ばかりが強調されることを許してはならない。

世の中のほとんどの文化は、数値に置き換えられない部分にこそ価値があるのだ。そのことを忘れてはならないと思う。

かつて蛮カラという文化があった。旧制高校生が、一世を風靡した時代である。袴をはき、高下駄で大地を闊歩した。蓬髪弊衣《ほうはつへいい》が流行し、詩を詠み、歌を歌う。青春を謳歌することによって、志のある若者たちを輩出した。

懐古趣味で言っているわけではない。そこで生まれたさまざまな文化が後に排斥されてきたことを残念に思っているのである。

明治大正期に活躍した添田唖蟬坊《そえだあぜんぼう》という演歌歌手がいた。東京の街角で権力や体制を批判する歌を歌いビラを撒く。日露戦争から軍国主義へと傾斜する日本に市民目線で警告を発し続けてきた。

〽権利幸福きらいな人に。自由湯をば飲ましたい。
、オッペケペ。オッペケペッポー。ペッポーポー。
堅い上下角《かみしもかど》とれて「マンテル」「ヅボン」に人力車、
意気な束髪ボン子《ネ》ット。
貴女に伸士（紳士）のいでたちで。

外部《うわべ》の飾りはよいけれど、政治の思想が欠乏だ。
天地の飾りが解らない。心に自由の種を蒔け。
オッペケペ。オッペケペッポー。ペッポーポー。
（川上音二郎《かわかみおとじろう》　オッペケペー節）

川上音二郎がオッペケペを流行させ、唖蝉坊が「ストライキ節」「ラッパ節」「ノンキ節」を次々に編んで街頭に立った。後年、小沢昭一さんが二人の足跡を調べ上げて、いかに彼らが明治・大正の文化に貢献したかを証明した。

私はそこに日本のジャーナリズムの原点を見る思いがする。潰されても弾圧されても、決してめげない精神が培われたのである。

演歌からの流れの中に「艶歌」「Y歌」「春歌」「数え歌」と様々なバリエーションが誕生している。どの文化も徹底的に官憲から弾圧を受け続け、消されてしまった文化である。軍国主義や古い天皇制の時代には庶民的な文化はことごとく追放された。

〽大臣大将の　胸先に
ピカピカ光るは　なんですえ
金鵄《きんし》勲章か　違います

可愛い兵士の　しゃれこうべ
　トコトットットット

名誉名誉と　おだて上げ
大事なせがれを　むざむざと
銃の餌食に　誰がした
元のせがれに　して返せ
　トコトットットット

（添田唖蝉坊　ラッパ節）

発散する文化というものもあった。陰惨な犯罪が現代でも後を絶たないが、数え歌のY歌には底抜けの明るさがあった。

大学数え歌をご存知か。

〽一つとせ、人は見かけによらぬもの
軟派張るのは拓大生　そいつは剛気だね

二つとせ、ふた目と見られぬ女でも
ウインクするのは慶大生　そいつは剛気だね

三つとせ、見れば見るほど嫌な奴
座布団帽子の早大生　そいつは剛気だね

最後は、

十とせ、遠い未来を夢に見て
センズリかくのは東大生　そいつは剛気だね

と、続く。学士を嘲笑することで、権威を失墜させる。テンプラ学生や裏口入学を皮肉る。旺盛な批判精神によって生まれる文化の萌芽を育ててきた。国家権力は、いつの時代もそれを摘みとった。

敗戦によって落ち込む学生たちが、大学数え歌で抵抗した時代でもあった。やがてその流れが安保闘争へと向かって行く。

樺美智子さんへの鎮魂歌

六〇年安保デモの夜、国会へ抗議に向かった学生たちは権力によって弾圧された。東大生の樺美智子《かんばみちこ》さんが機動隊によって撲殺される。深い悲しみの中でデモ隊は解散。岸信介《きしのぶすけ》（安倍晋三の祖父）は強行採決で安保改定を果たしたのだった。

デモ隊への権力の仕打ちに衝撃を受けた永六輔さんは翌年、樺さんの死を悼《いた》んで詞を書き、中村八大《なかむらはちだい》さんに作曲を依頼した。

〽上を向いて　歩こう
涙が　こぼれないように
思い出す　春の日
一人ぼっちの　夜

上を向いて　歩こう
にじんだ　星をかぞえて
思い出す　夏の日
一人ぼっちの　夜

幸せは雲の上に
幸せは空の上に

上を向いて　歩こう
涙が　こぼれないように
泣きながら　歩く
一人ぼっちの　夜

思い出す　秋の日
一人ぼっちの　夜
悲しみは　星のかげに
悲しみは　月のかげに

上を向いて　歩こう
涙が　こぼれないように
泣きながら　歩く
一人ぼっちの　夜

樺美智子さんの合同慰霊祭後に行われたデモ行進（1960年6月18日）

一人ぼっちの夜

この鎮魂歌は六一年夏に発表され、爆発的なヒット曲になった。歌手の坂本九《さかもときゅう》の独得な歌い方に誰もが夢中になる。ロカビリー出身の歌手にしか出来ない芸当でもあった。

永六輔は九ちゃんが初演の舞台で歌うのを袖で聞いて驚愕する。

「ウヘッフォムフィテアルコッホフホフホフ」

なんだこの歌は？　俺はこんな詞を曲につけてくれと期待した覚えはない。絶句した。

「ナミヒダハガハコッポッレッヘェナハイヨフホフニ」

九ちゃんがふざけているとしか思えなかったと後に回顧している。ところが大ヒットしてしまう。それどころかアメリカに紹介されるや全米チャートのビルボードで三週続けて一位になり、何とゴールデンレコード賞を受賞してしまったのである。

全世界で数百万枚を売り上げ、今も『上を向いて歩こう』は人々から愛唱されている。ある意味で、永さんはやりきれない思いを抱き続けることになる。一人の少女に捧げた筈の鎮魂歌が、世界中で知らない人がいないほどに歌われるようになったのだ。

お先煙草の永さんは、私の箱から一本抜き取ると遠い目付きをしながら、深く吸い込むのだった。もっとも永さんは、誰にも内証で鞄の中に煙草を忍ばせていた。これを見つけたある女性が、私にソッと耳打ちしてくれたりした。

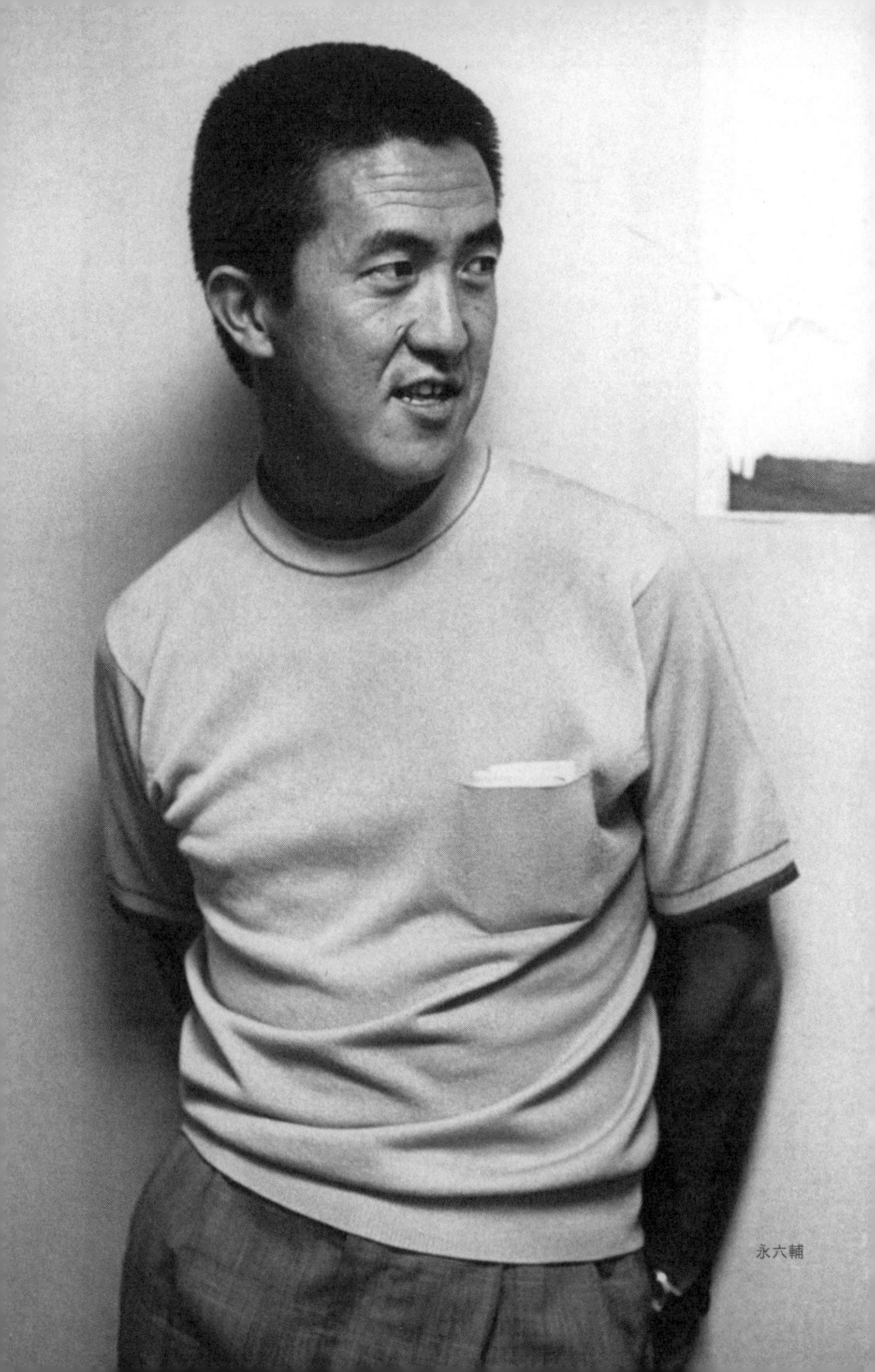

永六輔

きっと一人ぼっちの夜に、星を眺めながら吸っていたに違いない。それを想像しながら『上を向いて歩こう』をゆっくり全部歌ってみると、孤独な男が作った悲しみの調べがひしひしと伝わってくる。

その永さんも、他界してしまった。

永さんと共に、のめり込んだボードビリアンがいたことをふと思い出した。その人はイッセー尾形《おがた》という天才スモーカーだ。面白い、全部面白い。しかも徹底的にシャイな若者だった。「いつか爆発する」これが二人の共通な意見だった。イッセーの芸は、多くのスタンドアップ・コメディアンに引き継がれている。

文化もまた一人歩きする。権力によって消し去られてしまった数多くの文化は、それでも何処かで息を潜めて復活の時を待っているような気がしてならない。

権力者が居丈高に禁止を口にしても、絶対に消滅することはないだろう。煙草や酒によって存在した高度な文化は数え切れない。

煙草と共に書かれた文章

街には必ずタバコ屋がある。それでいながら歩道には禁煙のステッカーや表示が至るところにある。まるでペテンにかけられているみたいだ。

これを矛盾と思わないところに、権力の罠の存在が明確にあるように感じられる。もっと値上げして徹底的に収奪するつもりなのか。それとも売るだけ売りつけて、コソコソ隠れて吸うしかないようにスモーカーを痛めつけようという意図からか。

だんだん怒りが込み上げてきた。両手の拳で思わず机を叩く。ドアチャイムが鳴っているのになかなか気付かなかった。

出ると宅急便の人が立っていた。解錠する。

届けられたのは分厚い書籍だった。

『川端康成・詳細年譜』（勉誠出版）が編者の小谷野敦《こやのあつし》氏から贈呈されたことが担当者の手紙でわかる。高価な本が何故私に贈られたのかと思いつつページを繰ると、数ヶ所に川端康成氏と私の出会いが記されていた。

一九六七年二月二十八日、川端康成、石川淳《いしかわじゅん》、三島由紀夫《みしまゆきお》、安部公房《あべこうぼう》の四氏が帝国ホテルで記者会見に臨んだ際に、当時『話の特集』編集長だった私がお手伝いをしていたと記録にある。この記者会見は四氏が中国の文化大革命による焚書《ふんしょ》事件に抗議する声明を発表したものであった。

すっかり忘れていたが、記者たちに配布する「声明文」のペーパーを私が用意して、控え室で確認作業を行ったのである。四人共に煙草を手にしていたことが、私の脳裏に甦った。

思えば執筆中の四氏は、全員が片手にペン、片手に煙草というスタイルだった。文章は煙草と共に作られていたのである。これこそが文化ではないか。

すでに全員が他界してしまった。川端さんは自殺、三島さんは防衛庁の長官室で割腹して果てている。むろん記者会見の日には想像すら出来なかった。

しかし、彼らが残した文章は、今も輝きを失っていない。生き長らえている私は、いわば歴史の証人のような存在だ。届いた本の重みを掌《たなごころ》で感じながら、私は文化の持つ永遠について思いを馳せたのだった。

禁じてはならない。禁じることはあらゆることを0《ゼロ》にしてしまう。ことに権力が強制的に実行することによって、私たちはあらゆる可能性を失ってしまう。

たかが煙草と思っているとしたら、それは大きな誤ちである。文化にとって無用なものは何ひとつないのだ。一見無駄と思えても、必ず存在価値はある。

川端康成のくゆらした煙草、その紫煙の中に、石川淳、三島由紀夫、安部公房が佇んでいた光景。その隅っこに居た私も、同じように煙草を吸いながら、思考していたに違いない。

文化が禁じられることで、私たち人間社会に棲息する者たちは、多大な損害を受ける。人類の破滅への警鐘と受け止めるべきではないだろうか。

何故、人は煙草を吸うのか。それこそが文化そのものだからである。禁じる人は、天に唾する如く、自らを卑しめているということを知って欲しい。

さ、一服しようではないか、ご同輩！

第九章

シングルのふたり

〽よこはま　たそがれ
ホテルの小部屋
くちづけ　残り香
煙草のけむり
ブルース　口笛　女の涙
あの人は　行って行ってしまった
あの人は　行って行ってしまった
もう帰らない

裏町　スナック

酔えないお酒
ゆきずり　嘘つき
気まぐれ男
あてない　恋唄　流しのギター
あの人は　行って行ってしまった
あの人は　行って行ってしまった
もうよその人

木枯らし　想い出
グレーのコート
あきらめ　水色
つめたい夜明け
海鳴り　灯台
一羽のかもめ
あの人は　行って行ってしまった
あの人は　行って行ってしまった
もうおしまいね

『よこはま・たそがれ』（山口洋子《やまぐちようこ》・作詞／平尾昌晃《ひらおまさあき》・作曲）

私が初めて山口洋子さんにお目にかかったのは『話の特集』を創刊して五年目を迎えた頃だった。銀座の高級クラブ『姫』は、文士に優しい文壇バーとしても知られていて、五木寛之さんか野坂昭如さんかのどちらかに連れて行かれたのだが、はっきりした記憶がない。しかし、強烈に覚えているのは、席に着くやいなや、山口ママから『話の特集』の定期購読の申し込みを受けたことだ。

一年分二千百六十円がキッカリテーブルに並んでいる。私は恐縮しながら、名刺の裏に領収のサインをしたことを覚えている。当時、五木・野坂の連載『対論』が評判になっていた。常連客であるお二方へのエールと私は軽く受け止めた。

しかし、後に創刊以来の熱心な読者だと知って、改めて驚いたのである。山口洋子さんの自宅で従業員全員を労《ねぎら》うパーティが開かれた時、書棚にキチンと並べられてあった『話の特集』を見たホステスの一人が、後に『姫』に行った私に教えてくれたのだ。とても嬉しかった。

「名前は五木昭如でどうかな」

七〇年を目前にして、野坂さんと私は連れ立って学園紛争が激しさを増していた東大へ取材に出かけていた。年末のある日、TBS地下のフランス・レストラン『シド』で晩飯を食べようという誘いの電話が野坂さんからあった。野坂さんは酒はのんでも、外食をすることなんてほとんどない。しかも豪華なフレンチ・レストランなんて、気でも狂ったのかと思った。

「とにかく会わせたい人がいるから、必ず来てくれ」

と、野坂さんは、何となくバツが悪そうに言う。事情があるに違いなかった。

指定された時間に少し遅れて到着すると、広いテーブルの上に水割りのコップと缶ピースを前に野坂さんが一人で待っていた。

「一番高いディナーコースを食べてくれ。もう頼んである」

何とも気持ちの悪い成り行きだった。

料理はどんどん運ばれてくる。私は黙々とそれを片付け、野坂さんは酒と煙草の他には何も口にしないでジロジロこっちを見ているだけ。多少イライラしている。ほとんど口もきかない。やがてデザートが運ばれてきた。

「ところで渋谷公会堂は何日でしたか？」

「来年の二月二十一日です。タイトルは『話の特集博覧会・五十号記念ステージ』で、大阪万博直前ですから、反博の意味も込めている」

すでに野坂さんの出演も決まっていた。

「チケットは売れてますか？」

「まだ発売前ですが、前評判は上々なので、きっと完売になると思います」

「間に合うかなあ」

と、意味不明な発言の直後に、山口洋子さんが二人の男性と共に『シド』に現れた。

「ごめんなさい、遅くなって。こちらが野ロジム会長の野口修《のぐちおさむ》さん。青年は後で詳しく紹介します」

年輩の方はすぐ椅子にかけたが、青年は立ったままだった。野坂さんは青年をサングラス越しにジロジロ見ている、そして、口早に言った。

「キミの名前は決めたよ。五木昭如、これでどうかな」

一瞬の沈黙の後に、山口洋子さんが笑い出した。

「これじゃ、五木先生と野坂先生をくっつけただけじゃない。いいんですか、とても有難いとは思うけど……でも歌手の芸名としては堅苦しくはないかしら……」

「そ、それじゃ、昭如は外しましょう。五木はそのままで、下をひら仮名でひろしとしたらどう？」

と、野坂さんがたちまち訂正する。

「でも、五木先生から叱られるんじゃないかしら」

山口洋子さんは心配そうに言った。

事の次第が私に理解できたのは、三十分ほど経ってからだった。五年前に福井から出てきて、芸能プロダクションもやっていた野ロジムの新人タレントとして入門した青年が三谷謙《みたにけん》だった。声は良かったが、どうしても芽が出なかったのである。そこで野口会長が山口さんに相談し、芸名を変えて改めて売り出すことになった。直立不動の姿勢で横に立っている青年の芸名を野坂さんに頼み、それを引き受けた野坂さんが記者会見を開いて発表するという段取りになった。それが今夜の『シド』の会合だったのである。

日本歌謡界の大スター、「五木ひろし」の誕生の夜でもあった。それに立ち合った私は、野坂さんから二月二十一日に渋谷公会堂で歌手デビューさせろと迫られる。それがシナリオだったらしい。

作詞家・山口洋子は、五木ひろしの生みの親とも言うべき存在だった。後で経緯《いきさつ》を聞いた五木寛之さんは苦笑を禁じえなかったらしいが、野坂さんのいたずら心が、名歌手を世に出したのだから、その場にいた私も何かしら縁があったに違いなかった。

冒頭に記した『よこはま・たそがれ』は五木ひろしの第一作、つまり遅咲きの歌手にとって、ノルかソルかの乾坤一擲《けんこんいってき》の再デビュー曲だった。

この曲は大ヒットして、年末はＮＨＫ紅白歌合戦に出場した。後の大演歌歌手、五木ひろしの誕生秘話ともいえよう。

「煙草なしでは何も浮かばない」

さて、山口洋子さんについて、もう少し触れておきたい。東映女優から、銀座のママに転身した山口さんが、川口松太郎《かわぐちまつたろう》さんのベストセラー小説『夜の蝶』のモデルだったという真偽については不明だが、一時代前には「日本は夜の銀座で動いている」とも噂された。政財界はもとよりメディアに関わる多くの人々が、群れをなすように銀座通いをしていた。

やがて、山口洋子は作家デビューする。『姫』の常連の作家たちからはあまり歓迎されなかったが、山口瞳《やまぐちひとみ》さんは山口洋子さんを高く評価していた。観察眼が飛び抜けているばかりか、表現力が豊かだとベタ誉めだった。

競馬場でタバコをくゆらせながら、

「直木賞を絶対に受賞させる」

と、私に何度も断言し、その通りになった。直木賞の審査委員長の発言だったから、一種の問題発言でもあったわけだが、瞳さんは邪気がない人だけに感心させられた。

数多くのヒット曲を主に五本ひろしのために作詞し、また作家としても成功した。しかし、若い頃の無理が災いしたのか、脂《あぶら》の乗り切った時に体調を崩した。惜しまれながら他界してしまった。

幅広い人脈は当然だったが、アーチストとの付き合いも多かった。恋多い人生だったらしいが、ずっとシングルだった。医者からストップがかかったが、

「煙草なしでは頭に何も浮かばない」

が口癖で、いつも愛用のヴォーグを手離すことはしなかった。

意外な交流のひとつに、現代の浮世絵作家とも讃《たた》えられたイラストレーターの灘本唯人《なだもとただひと》との長い付き合いがあった。灘本さんも一生シングルとして完結しているヘビー・スモーカーだった。

カラオケでマイクを握ったら、容易に放さないのが灘本さんでもあった。山口洋子さんの歌が大好きだった。特に『よこはま・たそがれ』は五木ひろしを向こうに回しても負けないほどに上手かった。

その灘本さんが九十歳を迎える直前の二〇一六年七月十九日に亡くなった。もし、灘本さんが居なかったら、今日のようにイラストレーター諸君は活躍していなかったかも知れない。神戸の灘の名家に生まれた灘本さんは、デザイナーの早川良雄《はやかわよしお》さんの門下生となり、イラストレーションを描くようになる。面倒見の良い灘本さんは、関西出身の多くのデザイナー、イラストレーターを世に出している。

横尾忠則《よこおただのり》、長友啓典《ながともけいすけ》、黒田征太郎《くろだせいたろう》、平松尚樹《ひらまつひさき》は灘本さんが育て上げたアーチストたちの代表格だろう。時に厳しく、時に親身になって、彼らを導いたのである。

「オンドリャー、ヘサッソ!」

『話の特集』の創刊時には、どれほどお世話になったか、数え上げたらキリがない。いくつかエピソードを挙げてみたい。

横尾忠則

早川さんと共に関西から東京へ移り住んだ灘本さんは、六本木のど真ん中のマンションに事務所兼自宅を構えた。地理的にも便利だったから、千客万来であった。

例えば、神吉拓郎《かんきたくろう》という後の直木賞作家は、遅筆で締切り直前では見張っていないと原稿が全く進まない。私が途方に暮れていると、灘本さんが助け舟を出してくれた。

「ボクのところでカンヅメにしたら。徹夜マージャンしてれば、矢崎さんが退屈しないし、作家だって眠らない」

そこでアートディレクターの和田誠《わだまこと》、同じく作家でこれまた遅筆で有名な草森紳一を呼んで雀卓を夕方から囲む。灘本さんの書斎兼仕事場に神吉さんをカンヅメにして、遊びながら見守る算段である。飲食の担当は、当時は灘本家の書生であり、愛弟子でもあった長友啓典クンが当たる。私にとってはこれほどありがたいことはまたとなかった。むろん、神吉さんの小説のイラストレーションは灘本さんに依頼してあってのことである。まったくこれ以上の絶対空間はなかなか確保できない。

横にある灰皿はたちまち一杯になる。すぐ取り換えないと、灘本さんは長友クンを叱る。

「オンドリャー、ヘサッソ!」

大声で怒鳴るが、私には意味不明である。すると長友クンが「カンニンやカンニンや」と言いながらスッ飛んで来て新しい灰皿に交換するのだ。

和田さんの説明が入って、私と草森さんはようやく次第が判明したのだった。

「『オンドリャー、ヘサッソ』とは〈お前に屁を吸わすぞ〉という、関西ヤクザの決まり文句だよ」

当時の長友クンは休むヒマなく調理し、風呂を沸かし、細々《こまごま》と私たちの面倒を見る。当時は桑沢デザイン学校生、なかなか出来た青年だった。長友クンと黒田征太郎は灘本さんを頼って東京に出て来て、以後K2というグループを結成しずっとタッグを組んでいた。

明け方、神吉拓郎さんの原稿がようやく出来上がった。和田さんが早速レイアウトし、灘本さんが目を通しイラストレーションの準備をする。編集長の私はタクシーに飛び乗って市ヶ谷の大日本印刷に向かう。内容を確認している余裕なぞない。疑問点があったらゲラの段階でやればいいとあきらめていた。それほど締め切りが切迫していたのだが、灘本さんのアイデアで無事入稿することが出来たのだった。

長友クンは神吉さんの朝食をこしらえ、「お疲れ様でした」と、肩までもんでねぎらっているのだった。今時の若者に是非とも、長友クンの献身的な姿勢を伝えておきたい。

その長友さんも二〇一七年に他界した。

稲尾・豊田・中西・野村

灘本さんの友人関係は多岐にわたっていた。私は灘本さんに誘われて、いろいろな人と麻雀をやるチャンスを得た。

俳優の勝呂《すぐろ》誉《ほまれ》さんの家には度々うかがって卓を囲んだ。その頃は女優の大空眞弓《おおぞらまゆみ》さんとご夫婦だった。最初に訪ねた時に、お宅へ向かうタクシーの中で灘本さんが一つの忠告をしてくれた。

「勝呂さんに会っても絶対にフルネームで呼ばないで下さい。奥さんの眞弓さんがスグロホマレと続けて言われると競走馬の名前みたいで傷つくんです。どうしても名前を呼びたかったら、スグロでひと呼吸置いて、ホマレと言う。これだけは気をつけて欲しいんです。他では愉快なおしどり夫婦だから何も心配ありません」

確かに気のおけない楽しいご夫婦だったし、麻雀の腕もなかなかのものだった。

余談になるが、やがて離婚し、大空眞弓さんは西武グループの総帥《そうすい》だった堤清二《つつみせいじ》さんの愛人になった。しかも、一緒に食事する機会があって、眞弓さんは平気で堤さんとの関係を私にあけすけに話すのだった。不倫の影など如何にも無かった。実にあっぱれだと思った。堤さんは小さくなっている。そんな姿は誰も知らなかったに違いない（これは内証の話です）。

灘本さんは西鉄ライオンズ時代の名選手たちとも親しかった。稲尾和久《いなおかずひさ》、豊田泰光《とよだやすみつ》、中西太《なかにしふとし》というスーパースターたちとの麻雀もセットしてくれた。豪快な中にも戦術に長けていて、私を奮い立たせてくれたのだった。

でも主役はいつも灘本さんだ。細《ほそ》くておしゃれな灘本さんが、大男たちをネジ伏せる。つい喝采を叫んでしまいそうになる。灘本さんのパイさばきは実に華麗にして見事だった。

私は若い頃、ノムさんこと野村克也《のむらかつや》さんのゴーストライターをやったことがある。話を伺いながら何時間も麻雀をやった。しかも相手はキャッチング・スタイルのままだ。野村さんも麻雀は強かった。三冠王に初めて輝いた時、『うん・どん・こん（運・鈍・根）』（日本社刊）はベストセラーになった。

プロ野球選手と麻雀友達になれたのは灘本さんのお蔭だが、勝負運を全員がしっかりと身につけていた。一世を風靡した名選手は個性的で強烈な印象であった。

灘本さんと彼らがどう知り合ったのか、ついに聞き逃したが、とても親し気であった。殊に稲尾、豊田、中西の三氏は、灘本さんの個展には花を贈り必ず駆けつけた。人望があった。

もちろん灘本さんの交遊関係は多岐にわたっていたから、相手によって対応も様々であった。俳句の会に参加していて、一時期は熱心に句を詠んでいた。ただし、「話の特集句会」ではあまり良い成績ではなかったように記憶している。

どちらかと言うと、どちらかと言うと、自分の仲間というより、弟子に近い人たちを集めて、宗匠のような存在で句会を別に作った。どうも、お山の大将的性格があったに違いない。

どちらの句会でも俳号は「晩爺《ばんや》」であった。

これには由来があった。VANジャケットの石津謙介《いしづけんすけ》さんとは古くからの友人であり、まるで製品のモデルのように、スーツからセーター、小物類のほとんどの製品すべてVANを愛用していた。どちらかと言うと、若者のファッションだから、似合いはするのだが、いささか違和感があった。そこで、VANを着た爺さん、つまり「晩爺」というわけだ。

賭け事大好き人間の灘本さんは、同じ傾向のある私との間で「直撃遊び」をやっていた。つまり、互選するに当たって、その中で一番と思った一句を「天」に選ぶ。そして、短冊に書いて相手にプレゼントする。灘本さんと私の間で、うっかり「天」に選ぶと、五千円の祝儀を支払う約束をしていた。後にイラストレーターの矢吹申彦《やぶきのぶひこ》さんもこれに参加したが、灘本さんと私は初期からずっと「直撃遊び」をやめなかった。もちろん、仲間から大いに顰蹙《ひんしゅく》を買ったりもしていたが……。

殿、ウルトラCはきつうござんす

灘本さんも私も、俳句を詠む時に写生ではなく虚構を好む癖《へき》があった。

・秋しのび褥《しとね》の妻の恍惚と　晩爺

これって、独身男の句かよ！　である。

・葱の香をふところにした爺七十　晩爺

・寒月にかすかなうなじがエメラルド　晩爺

・傷おいし松茸にバンソウコウをやさしくはる　晩爺
・シャンプーの香りひっこき残暑かな　晩爺

やはり一風変わっている。バレ句も得意で、

・熟知した股間のごとき毛皮かな　晩爺
・エエワエエワチギレルガナエエワ　晩爺
・牛二分オレ一時間ウシウシ　晩爺
・殿、ウルトラCはきつうござんす　晩爺

遊び心もたっぷり。実はいたずらっ子の面目躍如たるものがあった。手元に残っていないが、灘本さんが得意としたのが、職業ものだった。思いがけない職人をサラリと登場させる。私は幾度か騙されている（詳しく知りたい方は拙著『句々快々』（本阿弥書店刊）を古本屋かアマゾンで取り寄せて下さい）。

晩年になって、灘本さんは韓国で展覧会を毎年やっていた。比較的高値で全部売れてしまう。殊に女性を描いた作品が好まれた。チマチョゴリを纏《まと》った貴婦人の絵はソウルの国立博物館にも飾られている。現代の浮世絵師の面目をいかんなく発揮された生涯だった。

山口洋子さんと灘本唯人さんの共通点は沢山ある。口はどちらかと言うと二人共悪い方だが、常に優しさが籠《こ》もっている。しかも、これがなかなか教唆《きょうさ》に満ちているのである。独特なおしゃれ感覚を持っていた。その理由《ワケ》は既製品を上手に着こなすコツに通じていた。酒と煙草を永遠の友として一生シングルを貫いた。もしかするとレズとホモの親友だったかも知れないが、いささかもそうした気配を見せなかった。軽妙な仕草で人を逸らすことがないばかりか、目配りが的確だった。そして、いろいろな人を世に出した。雰囲気から、灘本さんほどウディ・アレンに似ている人も他にいない。

さて、私は前回で大失敗をした。読者の皆さまに慎んでお詫びしたい。

火野葦平さんと火野正平さんを堂々と親子と書いてしまった。赤の他人と読者の方から知らされて調べたところその通りだった。どうしてこんな軽率な間違いをしたのか。

私に親子と教えてくれたのは、実は永六輔さんだった。嘘つきとは知っていたが、私以上に物知りでもあった。まんまとひっかかったのか、それとも永さんも親子と思い込んでいたのか、今となっては確かめようもない。

でも葦平さんと正平さんはどこか似ているように思えてならない。とてもいい雰囲気をしているからだ。弁解めくが、私が騙されても仕方ないほどに、お二人とも煙草の吸い方が見事《そっくり》であった。その上、名前もそっくり。きっと二人を親子と信じている人は私以外にもいるのではないだろうか。

今は亡き葦平さんには詫びる気はサラサラないけれど、正平さんには心からお詫びしたい。物書きの端くれとして、とても恥ずかしい。ただし、悪口を書いたわけではない。それだけが救いである。

蛇足。狂気のドナルド・トランプがアメリカの大統領になるなんて、世の中はおかしい。前任者のバラク・オバマ大統領が素晴しい大統領だっただけに、世界がどうなるか不安でならない。

そのオバマさんの最高のパフォーマンスは、八年間の在籍期間中、ホワイトハウスの裏庭でこっそり煙草を吸っていたことだ。つまり妻に約束した禁煙ができなかった。確かめたワケではないから、もしかしたら、これは私の願望だったかもね。ハハハ。

第十章

栴檀《せんだん》は双葉より芳《かんば》し

和田誠さんの手巻きタバコ

昭和ヒトケタ生まれの私たちは、幼い頃からタバコに特別な感情を持っていたように思う。大人たちがくゆらす煙草の煙を目で追いながら、早く大人になってタバコを吸いたいと願った。どんなにうまいものか、ひたすら憧れたのである。

中学生になると誰もがコッソリ吸った。高校に進学したら堂々と吸う。当時の成人は十五歳だから、そんなものだった。小学生時代に戦争に突入する。

戦火が厳しくなり、学童疎開が始まった。疎開先の裏山で、タバコの回し飲みをしたのが初体験だった。皆でムセた。それでも楽しかった。

今頃《このごろ》の子供たちを見ると、私たちは早熟だった。男女席を同じくせずと言われていたから、余計に異性への興味を持った。まだ小学生になる前から、恋愛小説の熱心な読者になった。日々隠れて読み耽った。

戦中、戦後は欠乏の時代だった。タバコを手に入れるのも容易ではなかった。まして収入のない子供たちには高嶺の花のような存在だった。街にモク拾いがあふれていた。もっぱら進駐軍の兵士たちがポイ捨てするタバコに群がっていた。

私が和田誠さんに会ったのは共に二十代後半であった。つまり、戦中戦後を子供時代に経験している。しかし、和田さんは多摩美大に在学中にハイライトのデザインを手がけたアートディレクターだった。新聞記者上がりの私は、一介の雑誌編集者に過ぎなかった。

ハイライトは発売されるや飛ぶように売れた。何よりデザインの斬新さが大ヒットの原因だと言われた。

「ホラ、アメリカ兵がジープから捨てたラッキー・ストライク知ってるでしょ。あれがヒントだった。表も裏も同じデザインだから、すぐにわかる。イメージ的な意味で宣伝効果抜群だったんだ」

和田さんは初対面の私にあっさり秘密を教えてくれた。

「スカイ・ブルーが印象的だった。ボクもピースからハイライトに変えた一人だよ」

私はポケットからハイライトを出して火をつけた。阿《おもね》るようで自分が嫌になったが……

「でも違うんだ。色は専売公社が決めたんだよ。黒に近い深い紺色が僕の指定だった」

意外な真実を告げられて、私はびっくりした。同時に色を好きだったと言ったことを反省させられるハメになった。何しろ創刊を予定している『話の特集』のADを引き受けてくれるよう頼んでいたのだから。

沈黙している私の前で、和田さんは小さな紙を手にして、刻んだタバコの葉をパラパラ載せて片手で巻き始めた。そして、端を舌でなめて細いシガレットを作った。

アメリカ映画の西部劇の一シーンを観ているような思いがした。和田さんはハイライトではなく手巻きタバコを愛用していたのだ。これにも驚いた。

指先がよほど器用でなくては、片手でタバコは巻けない。しかも、マッチも片手で擦ったのである。何事もなかったように和田さんは煙を吐いていた。

私は少なからずカルチャー・ショックを受けた。とにかくかっこいい奴だと感服したのである。

和田さんに紹介されたジャズピアニストの八木正生さんも手巻きタバコの愛好者だった。八木さんは愛車のアルファロメオを運転しながら、片手でタバコを巻いて口にくわえる。早速、私も真似してみたが、不器用だから、いくら練習してもタバコの葉はほとんど散り果てる。分際を知ってたちまち諦めるしかなかった。

『話の特集』がようやく売れるようになった七〇年代の初めに、和田、八木の二人と、テナー歌手で詩人の友竹辰《ともたけたつ》（正則《まさのり》）さんが加わって、麻雀の定期戦を毎月一回やるようになった。四

和田誠

和田誠

人の中では友竹さんと私がヘビースモーカーだった。手巻き派はオットリしていた。面白いのは、テンパイすると、友竹さんは必ずタバコに火をつけることだった。この癖を知られてから、友竹さんは苦戦を強いられるハメになった。

煙草のみのスタイルは千差万別である。火を点《つ》けても、二、三服で消す人もいれば、火傷《やけど》直前まで指にはさんでいる人もいる。手巻き組は灰皿を使わない。麻雀をやっている時は和田さんと八木さんはほとんど喫煙しなかった。

カメラマンの立木義浩さんも手巻き煙草を常用していたが、細いシガーも好きだった。いくら誘っても麻雀はやらなかった。その理由はタバコに起因していた。

「オレ、どんなギャンブルも好きだけど、麻雀だけは学生時代にプッツリやめた。麻雀が長引くと出前を頼んだりするだろ。ま、たいていラーメンか丼《どんぶり》メシじゃない。決まってタバコをそこに捨てる奴がいる。オレ、あれが許せないんだ。神聖なバクチそのものが汚れてしまう。美しくないんだよ」

立木さんは美学を重んじていた。くわえタバコで玉は突いても、絶対に台の上には灰を落とさない。カードゲームに興じても、勝負中にタバコを吸わない。カッコいい立木さんは、だから美女にもてたのだろう。

私は逆にタバコなしでギャンブルはやらない。ことにポーカーやバカラでは、相手に表情を読まれない為にも、タバコは必需品でもあった。ギャンブラーを気取るには、タバコほど効果のある小道具は他にない。そして大切な事は、他人にタバコを求めない、火を決して借りたりしない。ギャンブラーはゲンをかつぐ。

ちょっと話が横道に外れたけど、八木さんと友竹さんは早逝してしまった。同じノミすぎでも、タバコではなく酒のセイだった。楽しみには危険がついて回る。どうであっても覚悟さえ出来ていればそれでいいではないか。

和田誠さんは齢八十を超えても、毎週『週刊文春』の表紙を飾っていた。とにかく器用な天才だから、作曲もする映画も撮る、博学にして多才なのだ。

中学生の頃には、先生の似顔絵で時間割を作成してクラスメート全員に配って喜ばれたりしていたという。まさに「栴檀は双葉より芳し」を地で行ったわけである。和田さんが独身の頃は多くの遊び仲間たちに取りまかれていた。

シャンソン歌手の平野《ひらの》レミさんと結婚してからは、遊び友達も多少遠慮するようになり、良き家庭人になることになったが、シンの強さは変わらなかった。君が代を強制的に歌わせようとした幼稚園から、子供を連れ帰るような人でもあった。その和田さんも、二〇一九年十月七日に他界してしまった。

「ぼくちょっとおかしいでしょ」

結婚（といっても二度目だったが）によって生き方に大変革があったのが、伊丹十三《いたみじゅうぞう》さんである。最初の短い結婚をはさんで長い独身時代は自由奔放な人であった。

伊丹さんと和田さんには接点が多かった。遊び人だったが、その遊びが身についている天才であった。体質的には伊丹さんは病的というか、和田さん以上のアスペルガー風だった。

一九六五年の夏、『婦人画報』の編集者だった草森紳一さんに四谷《よつや》の伊丹宅へ連れて行ってもらう。伊丹さんは前年にイギリスから帰国して、同誌に「ヨーロッパ退屈日記」を連載中だった。むろん大好評ではあったけど、しゃれた文章だけでなく伊丹さんのイラストレーションが素晴らしかった。

私は年末に創刊号を出す予定の『話の特集』に執筆依頼するのが目的だったが、夫婦喧嘩の

伊丹十三

真っ最中に訪ねてしまった。広いリビングルームに招じ入れられたものの、挨拶もそこそこに伊丹さんと妻の川喜多和子《かわきたかずこ》さんが大声で罵り合いを始めたのだった。

初対面の私にとっては、余りの展開にショックを受けた。

それでもコーヒーを和子夫人は用意してくれて、

「みっともない所をお見せしました。わたくしは外出します」

と、三人を残して家を出た。

「つまり、離婚直前というわけです」

伊丹さんは何かを吐き出すように言って、タバコに火をつけた。草森さんと私もそれにならうようにタバコを手にしたのだった。タバコでもなかったら、場は保《も》たなかったのである。

それきり、三人はタバコを黙々と吸い続ける。

伊丹さんは煙の輪を天井に向けて次々に作った。いずれの輪も天井にまで達して弾けるように消えて行った。器用な人だ。そして、奇妙な沈黙が続いた。

執筆を頼むような雰囲気ではなかった。和子夫人が帰宅したのをきっかけに、草森さんと私は伊丹家を後にした。とにかく夫婦喧嘩が再開される前に立ち去る決心をしたのである。

一ヶ月くらい後に、六本木で会った時は、伊丹さんの様子が異常に思えた。そこは「パブ・カーディナル」という英国風の深夜パブで、新しく開店したばかりのキラキラした当時流行《はやり》の店だった。

皮張りの茶色の椅子に深々ともたれるように座っている伊丹さんは、泥酔寸前のように見えた。タバコを吸い込むと、指先でふくらんだ頬を叩く。小さな輪が、まるでシャボン玉のように口から吐き出されるのだった。それは一種の芸人の作業のようでもあった。

「タバコを吸い続けてニコチン中毒になってみようと思ったけど、何も変わらなかった。そこで睡眠薬をガリガリかじりながらワインを飲んだら、どうも飛んだみたい。ぼくちょっとおかしいでしょ。つまり今、ラリってるんですよ」

伊丹さんは突然口を開いた。原稿依頼に再度失敗した私は、伊丹さんに真似て、天井目がけて煙で輪を作って遊ぶしかなかった。

その半年くらい後に、編集部に伊丹十三が突然現れた。原稿の束を抱えていた。

「これ書いてみたけど、気に入ったら掲載してください」

『話の特集』に最初に連載した「女たちよ!」十回分のエッセイだった。伊丹さんは独身者になり、愛車ベントレーを運転して颯爽とやって来たのである。気障《きざ》な奴と思ったが、それがそのまま身についていた。

急接近してからは、いろいろな遊びに共に興じるようになった。片方がタバコの煙を丸く飛ばすと、もう片方がその輪の中に次の輪を通す。そんな他愛のない遊びもやった。

私がプロデュースするテレビ番組に伊丹さんが出演する回数が急激に増えた。

黛敏郎さんの『題名のない音楽会』(当時はNETテレビ制作)では、スパゲッティ・カルボナーラを番組時間内に作り上げ、食べ終わった瞬間にエンディングが流れるという離れ業《わざ》をやって見せてくれた。

『遠くへ行きたい』（読売テレビ制作）では、映画監督の山本嘉次郎《やまもとかじろう》さんの為に、「幻の親子丼」という傑作も作った。仕事の中に遊びが横溢して、酒とタバコが常に小道具の役目を果たした。

ところが、宮本信子《みやもとのぶこ》さんと結婚するや、人格が変わったように、自然食に憧れ、子育てに熱中し、女優宮本信子を100パーセント生かす映画を次々に制作した。酒もタバコも、どこかに忘れ去ったのである。

伊丹十三監督の最初の映画である『お葬式』のプロデューサーを私は依頼された。ところが同じ年に、これまた和田誠さんが阿佐田哲也原作の『麻雀放浪記』を撮ることになった。

親しい二人の競作を一観客として見守るしかなかった。二人の作品は甲乙つけがたい傑作となり、その年の映画賞を分け合ったことは誰もの知るところとなった。

二人の天才が、同時に処女作品を世に問う結果になったが、映画の小道具として、タバコがふんだんに登場したことだけは忘れられない。

独身時代の伊丹十三はリリセコナール（睡眠薬）中毒で一時期肉体と精神がボロボロになるが、音楽家でジャズピアニストの中村八大は本格的な大麻中毒だった。

『話の特集』が創刊された頃、ハシッシ（インド大麻）に嵌《はま》った。日本では禁じられていたので、常用するには勇気と危険が伴った。煙草に見せかけたりして、隠者の如くにコッソリ吸引する。そんな中村八大さんを見るに見かねて、永六輔さんが、

「八ちゃん、隠れて吸うしかない日本を捨てて、堂々と吸えるアメリカへ行ったら……」

と、進言する。実は辞めさせようと思って、遠回しに忠告したのだが、中村さんは本当に何もかも放り出して、ニューヨークへ移住してしまった。当時、六八コンビの仕事は山ほどあった。テレビにもレギュラーがあったし、ヒット曲を沢山世に出していた。中村八大さんを失った永さんは自らも大阪へ国内留学することにした。上方の伝統芸能を勉強する決心を、それを機会にやることにしたのである。

そんなわけで、永さんは『話の特集』の創刊に間に合わなかった。大阪で雑誌を手にした永六輔は急遽東京へ帰ってきた。そして、私を編集部に訪ね、やがて「無名人語録」の連載を始めた。『話の特集』が廃刊した後、『週刊金曜日』で連載を続け、四十八年間書き続けた。その中からミリオン・セラー『大往生』（岩波新書）も生まれている。

「東京・禁煙都市宣言」は正気か

嫌な噂を最近耳にした。タバコの値上げである。日清、日露、大東亜の戦争直前に、必ずタバコの値上げがあった。歴史はタバコの値上げに彩られている。軍事費を得るためにタバコが

いつも利用されてきた。最近は戦争が近いのだろうか。

七十年余の平和が、今の日本を作ってきた。それを夢忘れてはならないと思う。ことに現在は何かにつけタバコが迫害されている。こともなげに、値上げすればタバコ人口は減少するという暴論を吐く人が少なくない。肩身の狭い思いをしている愛好家にとって、値上げは踏んだり蹴ったりである。それ以外の何でもない。

小池百合子都知事は東京オリンピックまでに東京を禁煙都市にすると言っている。まるでファシズム同然ではないか。

安倍政権下で飲食店の全面禁煙を立法化しようとする動きもあった。とんでもない話である。タバコは人類の文化そのものなのに、その楽しみを公然と奪おうとしている。それともうひとつ、タバコには素晴らしい効用がある。これは忘れ勝ちというか、あまり重要視されていない。十年程前に他界されてしまったが、山下勇三さんは日本のイラストレーターでは五指に入る天才でもあったが、格好のいいタバコのみだった。

あの日、一九四五年八月六日、山下さん一家は広島で被爆した。ピカッと光った瞬間に家は木っ端微塵に飛び散った。激しい熱の波が襲いかかり、防空壕に避難した人々から衣服と髪を、そして命を奪い去った。

勇三さんは市街から三キロ離れた小学校で授業を受けていた。高台の学校から見下ろした街は燃え上がっている。みるみる真っ黒い雲に覆われた空から、雨が降ってきたのだった。爆弾の爆発音で耳が遠くなっていたのか、ざわめきは現実的ではなかったと回想する。

ピカドンに引き裂かれた一家が、命からがらようやく集まったのは、被爆の翌々日だった。避難所は小学校の近くの森だった。とにかく無事が確認できて嬉しかったが、食べ物を二日間も食べていない。父母が調達してきた握り飯に食らいついたという。父がポケットからタバコを取りだし、瓦礫に腰を降ろして吸っていた姿を山下少年は強烈に覚えていた。

二十数年後、山下勇三さんから初めて話を聞くまでは、一家全員が被爆者手帳を持っていることを知らなかった。

「オヤジはね、タバコに命を救って貰ったと言ってた。ボクに会った時に吸ったタバコは格別だったと。ズボンに入っていたタバコが苦痛を和らげてくれたらしい」

山下さんはタバコの不思議な魅力を知っている人でもあった。

『話の特集』との関係を記すなら、山下さんは永六輔さんと組んで浅田飴のCMを二十六年間、誌上で展開してくれた。あの有名な「せき・こえ・のどに浅田飴」のCMに欠くことの出来ない人だった。山下さんのアイデアはテレビ、新聞、雑誌で大いに使わせてもらっている。小道具としてタバコがしばしば登場したのは、広島時代の印象とつながっていたのだろうか。

井上ひさしさんの『江戸紫絵巻源氏』は十五年間『話の特集』に連載された長編小説だったが、山下勇三さんがイラストレーションを添えていた。奇抜で斬新そのものの挿画は大人気だった。遊び心があふれていて、パロディのジャンルで井上文学に活気を与えてくれた。

山下さんと井上さんはとても仲良しだった。どちらかというと、訥弁《とつべん》の部類に入る二人だったが、それを助けたのは間違いなくタバコであった。いい間《ま》が自然に出来るだけでなく、数々のネタにも結びついた。

『江戸紫絵巻源氏』は枕にできる程の分厚い書となったが、装丁も山下さんが担当した。気の合った二人は山下さんが亡くなるまで、どの仕事でもコンビとなり、煙草の友でもあった。

井上さんは遅筆では誰にも負けなかった。いわゆる編集者泣かせの作家だったが、イラストレーターにものべつ迷惑をかけた。

最初の一行も書いてないのに、井上さんと山下さんは内容の打ち合わせを私に隠れてやる。つまり、作家同士の一種の闇取引である。

業界では、それを「絵解き」と呼ぶ。先にイラストレーションが描き上がり、レイアウトを済ませた後で、原稿を作家がハメる。普通は作家の原稿をじっくり読んでイラストレーターが絵を描くのだが、逆をやるわけだから、編集者の私は落ち着かない。

いよいよ間に合わなくなると、私は車に山下さんを乗せ当時千葉県市川市にあった井上家へ向かう。井上夫人の好子《よしこ》さんが大の麻雀好きなので、ひさしさんに徹夜で原稿を書いてもらうために、書斎の下にあるプレイルームで徹マンをやる。

三十分おきくらいに井上さんがタバコを吸いに下界にやってくる。麻雀を観戦しながら一服すると階段を上がって再び執筆に戻る。

私と山下さん以外にもう一人連れて行かないと場が立たない。中山千夏、筑紫哲也、井上陽水、草森紳一、ばばこういちといった当日ヒマな方々を私は拉致して井上家に向かったものだった。思えば、月に一度とはいえ、私は勝手な企みを長年続けたものである。それでも苦情を言う人は一人もいなかった。タバコのみだったことも大切な要素だったのかも知れない。麻雀仲間とタバコ仲間には、切っても切れない友情があった。

かっぱえびせんのカルビーの社長をやっていた、私の新聞記者時代の親友松尾康二《まつおこうじ》さんと山下さんを引き合わせた日の事も忘れられない。二人は広島生まれで被爆体験者で、かつ同年配であった。意気投合した二人の飲みっぷりには見事というか、ド肝を抜かれた。広島の牡蠣《かき》を肴《さかな》に、夕方から翌朝まで、何本の酒瓶が空《から》になったか数え切れなかった。つまり偉大なる酒豪だった。下戸《げこ》の私は一滴の酒も飲まずして、まっ先に酔いつぶれた。

人間の存在は必須でもないものを求めるものである。そもそも芸術の根源にはそれがある。損得とか善悪とか、そういうわかり切ったもので推し量ることのできない何かこそが、人間の生きる理由なのである。酒豪もその範疇に入る。

私はタバコを通じての交友を思う時、そこに漂ういろいろなストーリーを楽しむことがある。それこそタバコが文化である証拠なのだ。

タバコによってストレスが解消されるのだから、人によってはタバコは医薬品でもある。悪いと決めつけるのは、いびつな人間のやることだ。私の主治医は、とうに諦めて、私に禁

井上ひさし

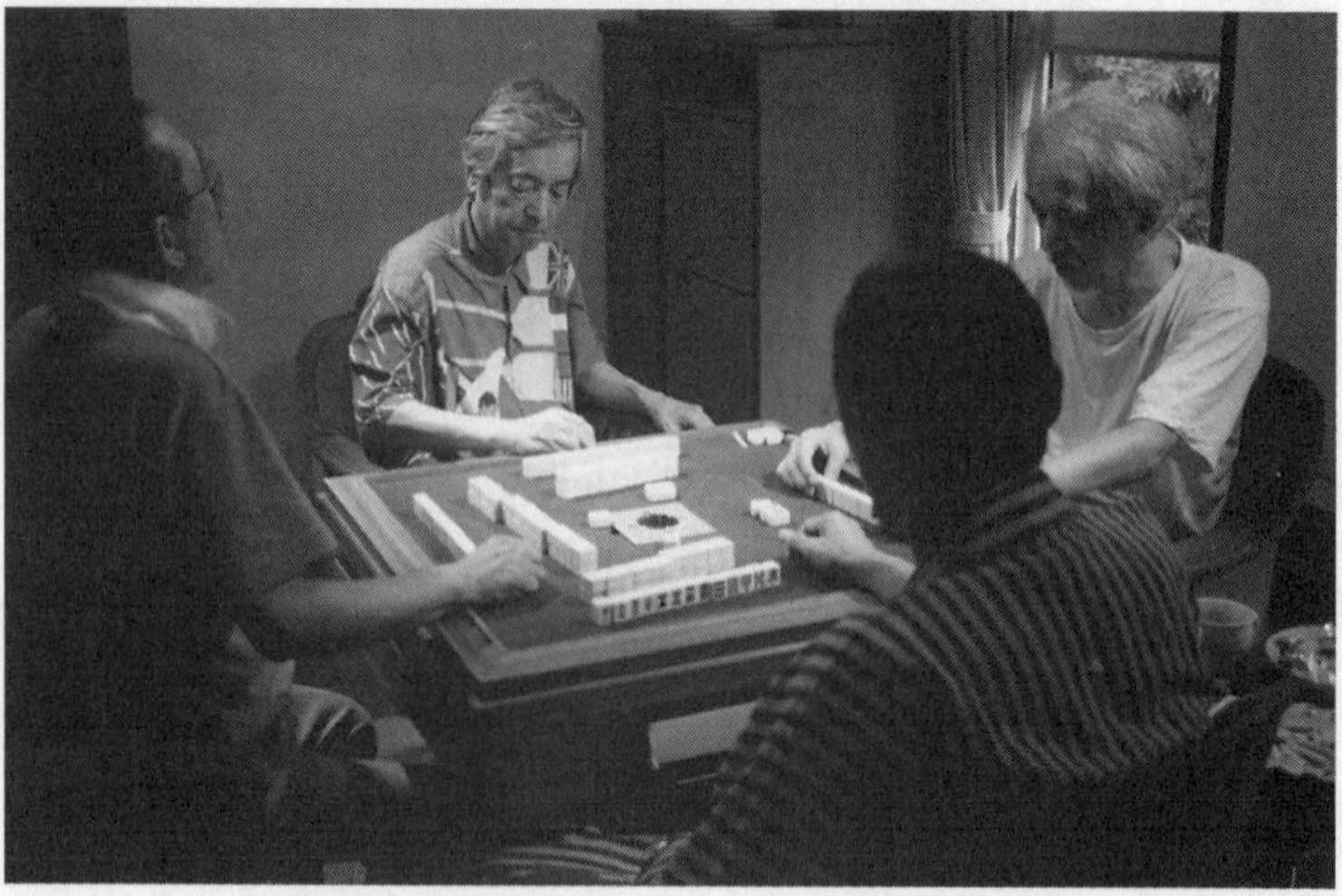

ばばこういち（正面奥）、（時計回りに）草森紳一、藤田敏八、著者

煙を求めない。むしろ、私にとってタバコは良薬であることを認めてくれたのかも知れない。タバコをひたすら迫害したり、毒物扱いする人たちに言いたい。もっと怒りをぶつけるものが他にあるでしょ。広い心を持って、タバコの意義も考えてください、と。

生まれて、ものごころがついて、冒険が始まる。最初のトライはタバコ以外に思いつかない。私の場合、酒は体質に合わない。両方たしなむツワモノには敬意を払って生きてます。

第十一章 奇妙なカップル

キリンとロック

悠木千帆《ゆうきちほ》さんがいつ頃樹木希林《ききりん》さんに改名したのか思い出せない。何故変えたのかも、さっぱり記憶にない。

創刊二年目に、話の特集編集室が原宿のセントラル・アパートメントにあった頃、「発言」という巻頭ページの原稿を依頼したところ、〆切五日前に原稿を手にして現れた。

私の部屋に案内されると、宿題を提出する小学生のように、直立不動の姿勢で原稿を差し出した。

「七十点ぐらいは戴けると思います」

早速、読ませてもらう。堂々たる社会批評だった。文章もしっかりしている。

「ほぼ満点に近い。ありがとう」と、私が冗談まじりに言うと、

「ほぼはどこですか？ 悪いところがあるんですね」と、不満げだった。

初対面なのに、少しも物怖じするところがない。私がタバコに火をつけると、

「それ、わたしに下さい」と、奪うように手にして、おいしそうに煙を吐いた。豪傑だった。

しばらく雑談していると、突然デスクにあった私の手鞄（ポシェット）を手に取って、

「これ、編集長に似合わない。ブランド物なんて持って欲しくないな」と、言いながら、中に入っていた財布、手帖、車のキイなどを机の上に放り出すように並べた。呆然としていると、

「これ、私が頂戴します。原稿料は要りません」と、もう肩にかけて、帰ろうとしている。

競馬が好きな私は、ロンシャンの馬が描かれた手鞄を愛用していたのだ。拒否する間もなく、代りに布製の持参した手下げを私に渡してサッサと帰ってしまった。諦めるしかなかった。

次に悠木千帆さんが出現したのはそれから半年ぐらいしたころだった。親友の吉永小百合《よしながさゆり》さんを連れて来たのである。突然なので、これまたびっくりさせられた。「小百合さんが編集部を見たい、矢崎さんに会いたいって言うから、マネージャーに内緒で私がお連れしました」

と、言う。

一年程前から、小百合さんは、アンケート・ページの解答者を引き受けてくれていたので、すでに『話の特集』のレギュラー執筆者でもあった。

浦山桐郎《うらやまきりお》監督の『キューポラのある街』で一躍スターになった小百合さんは、日活映画の人

気女優であるばかりか、当時すでにアイドル的存在でもあった。

「じゃ、わたしは役目を果たしたから帰ります。小百合ちゃんをよろしく」

タバコを一服しただけで、悠木千帆さんは居なくなった。小百合さんはただニコニコ笑っている。雑然とした私の部屋を珍しそうに見ていた。

「お仕事のお邪魔しませんから、しばらく居てもいいですか」と、おっしゃる。一人でお相手するのも不安だったので、ファンの和田誠にすぐに連絡したが、あいにくつかまらなかった。

ま、つまり私たちはたちまち打ちとけて、思いがけないデートもした。出かけた後で、和田さんはやってきたらしく、目茶苦茶、嫉妬されたのだった。以来、小百合さんは『話の特集』のイベントや対談のホステスなどいろいろやってくれた。話の特集句会のメンバーにもなった。

悠木さんにすれば、少しは高価なポシェットを強奪したお詫びのつもりだったのかも知れない。とにかく、サラリとやってのけるところが粋だった。

話の特集編集室に三回目に来た時は、結婚宣言した直後で、内田裕也《うちだゆうや》さんを連れて来た。

「この人、矢崎さんと麻雀したいから紹介してって言うの。お願いします」と言う。

「ロックと呼んで下さい」

これが裕也さんの第一声だった。麻雀を初対面の日に早速セットした。どれくらいの腕前か見ることにしたのである。

照れ屋であることはすぐにわかった。ひっきりなしにタバコを吸う。キリンもロックもヘビースモーカーで、狭い室内はもくもく煙が充満した。

七十年代に入って、正月になると私の家では雀友が集って、五日間ぐらい麻雀に興じるようになった。バブルの後押しもあった。

ロックと大西信行さん、畑正憲《はたまさのり》さんと元旦に打った。ロックにとっては全員先輩であり、強敵でもあった。当然の如く苦戦が続く。

通称下品の大西さん、奇襲が得意のムツゴロウは情容赦を知らない。強者だった。ロックに大きな手が出来た。即リーチ。畑さんが振った牌を見て、ロックが叫んだ。

「ストライク！　スー暗刻単騎待ちだ！」

黙って大西さんが次の牌を切る。畑さんがそれをポンとする。

「ね、待ってよ。俺、役満上がったんだぜ」と、ロック。

すると畑さんと大西さんが異口同音に、

「キミ、ストライクって言っただろ。ストライクは野球だよ。麻雀はロンとか和了《ホーラ》とか言うんだ。ストライクは駄目だよ」と平然と言ってのけた。

「俺、役満だぜ。誰が見たってわかるじゃないか」と、ロックは必死に抗議する。

結局、チョンボとなり、ロックはその後次第に負けが込んだ。半荘《ハンチャン》毎の決済だから、ロックの資金はたちまちゼロ。待っている人も居るから、手持ちが無くなったら、正月料理を食べながら見物するか、さっさと帰るしかない。口惜しいロックはキリンに電話して、現金を持って来てくれと頼んだ。

やがて、生まれて三ヶ月のヤヤ子を抱えたキリンが我が家に現れた。もう一方の手にはキャッシュを握りしめている。まるで魔女の到来のような光景だった。

一番驚いたのは私の妻だった。

「大変でしたね。赤ちゃん大丈夫かしら……。ゆっくりしてって下さい」

その鉾先は私に向けられた。

「裕也さんに何故お金を貸して上げないの」

ロックは、その言葉を遮って、

「ケチな金しか俺に持たせなかったこいつが悪いんです」と、暴言を吐くのだった。

もともとキリンとロックは別居結婚だった。

でも、私たちが知っていたのは、互いに惚れ切っていて、どんなことがあっても別れない約束をしている二人だということだった。多分、仲睦まじいタバコ友達だったに違いない。

若手映画監督として脚光を浴びていたゴジこと長谷川和彦さんも当時私たちと麻雀に興じていた。ある日、ゴジは災難に襲われた。ダブル・パンチを食らって、ついにダウンする一幕があった。これには、ロックと下品こと大西信行さんが関わっていた。

ロック、大西、ゴジ、それに私が卓を囲んでいた。ゴジが勝ちまくって数時間が経った時、考えているロックに、ゴジが言った。

「おい、ロックの番だよ、何モタモタしているのよ」

　このひと言にロックが切れた。

「黙ってりゃいい気になりやがって。お前みたいなガキにロック呼ばわりされるのは我慢ならない。俺には内田裕也という名前があるんだ。ちゃんと内田さんと呼べ」

　と、怒った。

「麻雀の場は無礼講でしょ。誰だって大西先輩を下品て呼んでるじゃないですか。俺も相当下品だけど、この場じゃ対等の下品ですよ、ね」と、ゴジは気色ばんで言った。すると大西信行が罵声を浴びせた。

「オイ、ゴジ。同じ下品でも年期の入った下品と、お前のような出来損ないの下品とは格が違う。ロックの言うとおりだ」

　こうなっては増々こじれる。

「わかった。ゴジは一人勝ちしているんだから、この場は謝れよ。ま、一服しよう」

　と、私はやっと場を収めた。タバコは役に立つ。

　一昨年、キリンが逝って、追いかけるようにロックもこの世を去った。ロックが一人では生きていられないことを知っているキリンが連れて行ったに違いない。

信康と日出子の青春

六十年代から七十年代にかけて、フォークシンガーのトップは岡林信康《おかばやしのぶやす》だった。アングラの女王は吉田日出子《よしだひでこ》。この二人に対談してもらう企画を立てた。売れっ子の二人のスケジュールを合わせるのは至難の業でもあった。困難な企画を実現するのが『話の特集』の身上でもあった。

岡林さんの事務所の秦《はた》社長は幸い私の麻雀友達であり、自由劇場のリーダー・観世栄夫《かんぜひでお》さんは執筆者の一人だった。直接二人にお願いして、やっと対談が実現した。

編集室にある私の部屋で対談は始まったが、初対面の二人は、黙ってタバコばかり吸っていた。司会役の私は、どうやったらいいか、迷いに迷って、得意のカード占いを開陳することにした。それぞれの運気を占って、面白がらせたのである。信康クンとデコの出会いが運命的だと出たのは偶然とは言え、カードが示したものだった。

いぶかる二人を私は乗せる。やっとホグれて、生い立ちの話やスターになるまでの失態談がようやく飛び交うようになった。時々私がサポートして、カード占で確認したりする。

これまで誰にも語ったことのない秘密な話題が次々に出て、すっかり打ちとけた。終わってから三人で食事する約束だったので、テーブルにはコーヒーと水しかなかった。まるで酒でも飲んでいるように会話が弾んだ。意気投合した様子で、不思議な体験談が披露されたりもしたのだった。

アッという間の二時間だった。終了寸前に秦さんから電話が入った。

「五味（康祐）さんから電話があって、メンツを揃《そろ》えろと言ってきた。TBSの萩元晴彦さんがOKだから、赤坂のいつもの旅館に集まることにしたんだ。七時開始でどう」

と、打診された。

五味さんには貸しもあったので、私は予約してあるレストランまで信康クンとデコを連れて行って、「好きなものを注文して、楽しい話の続きを二人でして下さい」と、現金を渡して、請求書を会社に送るように伝え、麻雀へ参加することにした。その時は、まさか大事件になるとは、いささかも思わなかった。

ところが岡林信康はコンサートをスッポかし、吉田日出子は自由劇場の舞台を無断で休んだために、二日後にマスコミが大騒ぎすることになった。

そして、四日経ちデコから電話がかかった。

「わたしたち、矢崎さんと別れた日の夜から、ズッとベット・インしたままなの。別れられなくなっちゃって、ルーム・サービスを生まれたママの姿で今も食べているの」

と、笑っている。

何処にいるか聞いても、それには答えない。二人は新聞も見ていないとみえて、あっけらかんとしている。つまり、駆け落ちしてしまったのである。青春真っ只中とは言え、凄いことをやってくれたものだ。私は呆然とした。

元はと言えば秦社長の誘いのセイなのだが、秦さんは違約金を取られ、チケットすべてを払い戻すハメになった。観世さんは代役を立てて、何とか穴は空けなかったものの、私からの連絡に言葉を失った。

結局、二人の恋は長続きしなかったが、マスコミにはスキャンダルとして取り上げられることはなかった。

どうやら私がノセ過ぎた結果だったように思えて、対談は無事掲載したものの複雑な気持ちだった。

それにしても、余りにも勇気あると言うか、無謀な行動である。しばらくは、ムッとタバコを吹かしていた二人を思い返しては、苦笑いするしかなかった。

岡林信康さんとは共にサウナに行き、吉田日出子さんの舞台を何度も見に行った。デコは早逝してしまったが、岡林信康さんはフォークシンガーとして現役である。私の記憶の中には、遠い紫煙の彼方に二人がいつも笑っている。

元親分と絶世の美女

瑳峨美智子《さがみちこ》（後に瑳峨三智子《みちこ》と改名）さんほど、妖婉にして美しくタバコをくゆらす人は他に居なかった。

『話の特集』は創刊以来五年間、美女が半年ずつホステスとなって、六ページの異色対談を掲載していた。その中の一人に女優の瑳峨さんがいた。

とうに銀幕を去り、若くして亡くなられたので、知らない人も多いかも知れない。『こつまなんきん』という映画があった。彼女の代表作のひとつだが、まさに適役というか、その魅力に誰しも取り憑かれてしまう傑作だった。男性は皆メロメロになった。名女優として知られた山田五十鈴《やまだいすず》さんの一粒種で、十代で女優となり、自由奔放な毎日を送った人でもあった。恋多き女だったが、それが全て魅力に継がるような永遠の美を感じさせたのである。

連載の六回目、つまり最終回にゲストとして招いた元安藤組々長で映画界に転身した安藤昇《あんどうのぼる》さんを、嵯峨さん自身が指名した。いかにも危険な取り合わせに思えたが、私は乗り気だった。親分には似つかわしい美女でもあったからである。

果して対談早々から美女は誘いのポーズだった。ところが安藤昇は一向に乗らない。フンといった感じの態度だった。明らかに美女の方がイライラしている。

「ヤクザ全盛期には、何人の女を愛人にしていたの」「いきなり押し倒すとか、有無を言わせなかったんでしょ」

そんな質問には全く答えようとしない。

「本物のヤクザが、映画スターになってヤクザをやっている。これってやっぱり足を洗ったことなるのかしら。同じことをやってるだけじゃないの」

平気で意地悪な質問をする。

「そう思われても仕方ありませんね」

安藤昇は動じない。しかもスゴ味はなく、紳士然としている。美女は気に入らない。

「組を解散するのは親分の勝手かも知れないけど、子分たちは困ったでしょうね」

ニヤッと笑って、タバコを吸っている。下らない質問をするなよと表情に出ているのだった。

そうなると、もう色っぽく迫るしかない。

「古傷って痛むものですか？」

「ええ痛みます。よろしかったら触れてもいいですよ」

頬の刃傷を差し出す仕草をする。怖る怖るさわる美女。側で見ている私の背筋が寒くなった。

時間が経つにつれ、次第に美女が気弱になる。元ヤクザは、現役のヤクザに戻ったようでもあった。何となくヤバイ。私はあれこれ話題を探し、それを美女が手がかりにして、ようやく対談に笑いが戻った。

この時、もしタバコがなかったら、たちまち決裂していたのではなかったかという思いだった。私はタバコに感謝するしかなかった。

対談の終わりには、元ヤクザと美女はすっかり仲良しになっていた。ホッとしながらも、私は何かスッキリしなかった。

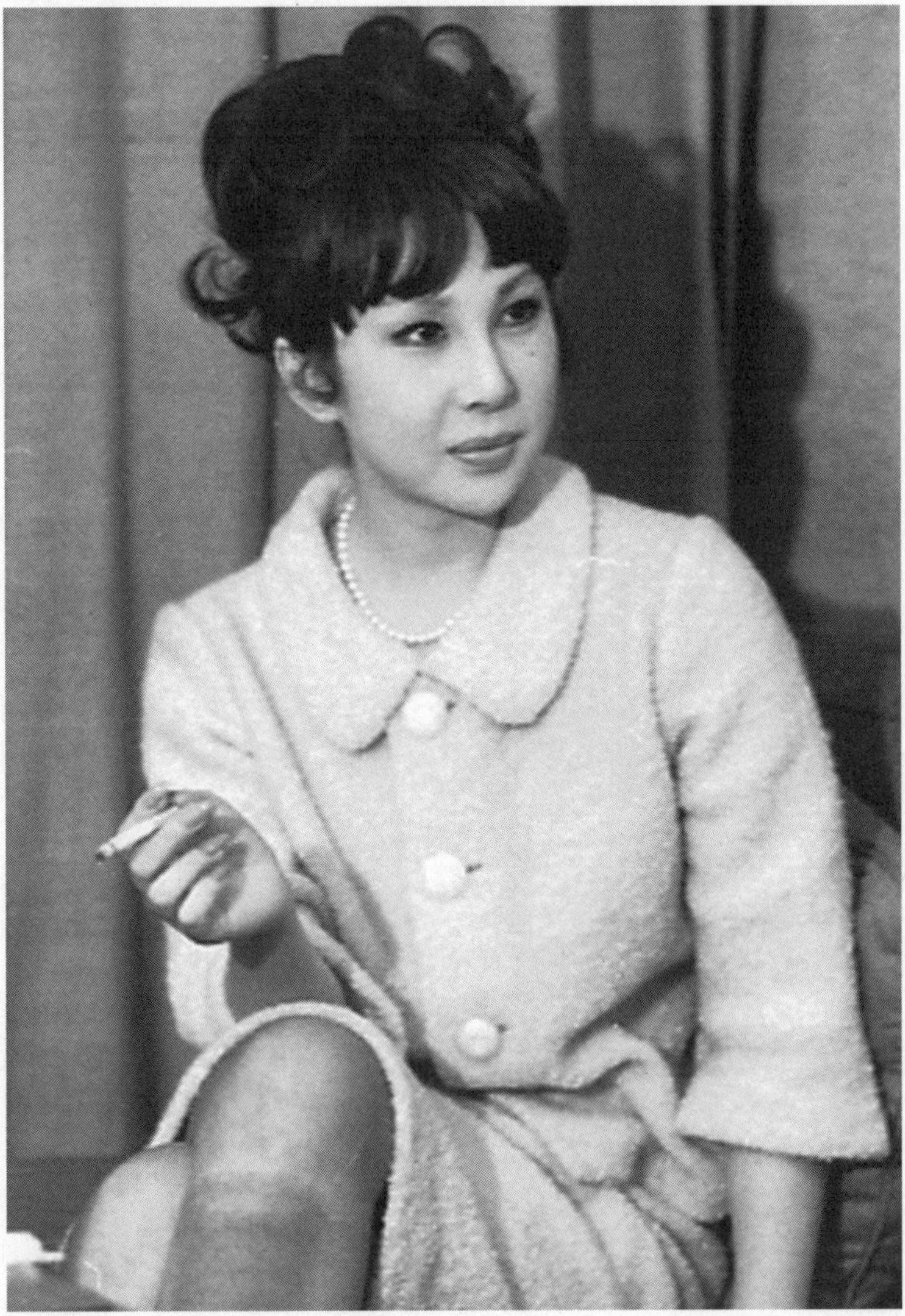

嵯峨美智子

第十一章　奇妙なカップル

数日して、突然、山田五十鈴さんから電話があった。もちろんお目にかかった事もない。

「ウチのお嬢がどこにいるかご存知ですか」

何となく鋭くなじる口調だった。

「対談の日から、家に帰って来ないんですよ。そろそろ一週間になりますからね。母としては心配しています」

と、おっしゃる。

大人だから心配する必要もないんじゃないですかと言いかけて、言葉を呑み込んだ。

予感が的中したのである。元ヤクザと美女は、手を取り合って逐電《ちくでん》してしまったのである。

それに違いないと思うしかなかった。

年齢の差はあるけど、美智子さんは三度目の駈落ちだった。

男と女はそれこそいろいろだが、どう受け止めたらいいか、サッパリわからないことがある。滑稽でもあるし、悲喜劇がついて回る。他人事だと忘れてしまえばいいのかも知れないが、関わりがあると、何かしら責任めいたものを感じたりする。

これでヨシと割り切ってしまうことにしようか。奇妙なカップルの行く方を改めて考えて複雑な気分にさせられた。思えばタバコの煙だけがそこここに残っている。

第十二章

ケムリが目にしみる

年老いてからは、自らを戒める努力はしているのだが、若輩者《じゃくはいもの》に非礼な態度をされると腹が立ってならない。

例えばレストランに入って、喫煙所をたずねた時に、「ここは禁煙です」と、紋切り口調で返されることが少なくない。禁煙と書いてあるから聞いているのであって、どこで吸ったらいいかを問うているのである。「ですから、どこへ行けば吸えるかを教えて欲しい」と、丁重に言っても、「さあ、当ビルは全面禁煙ですから……」と、けんもほろろなのだ。

煙草をのみたかったら自分で喫煙所を探せというわけなのだろう。そもそも、客を客とも思わぬ姿勢である。取りつくシマもない。

他の事でも腹の立つことは多い。

いわゆる恩義を感じない若者が圧倒的に増えているように思えてならない。食事に誘って勘定を済ませて出てくると、

「ご馳走になってよろしいんですか」と、くる。

ここは当然、「ご馳走さま」とか、「ありがとうございました」であろう。もともとそのつもりなのに、感謝の気持ちがカケラもない証拠なのだ。

席にすわったとたんに、イの一番に、

「ビール」と叫ぶ。オツマミが運ばれてくると、真っ先に箸をつける。グーッと飲み干して、「喉渇いていたんだ、オカワリ直ぐに持って来てよ」と、傍若無人に振舞う。つまり、自分中心なのは仕方ないにしても、目上の人間に対する配慮がカケラもないのである。

そのくせ、大方の人が喫煙者に対して、あからさまに失礼な態度をとる。喫煙はそもそも悪と決めつけているヤカラが少なくない。

近頃では喫茶店でも「禁煙」「NO SMOKING」のシールを平然と貼っているところが多い。私の頭には、コーヒーとタバコは直結しているから、違和感の方が大きい。喫煙席をガラス張りにして隔離したり、ひどい店では椅子すら置いてないのである。

もちろん、スモーカーの中にもマナーの悪い人はいるだろう。しかし、多くの煙草のみは間違いなく迫害を受けている。極端に言えば差別されているのが現実なのだ。

閑話休題——交友録に移させてもらう。

タッちゃんはMr.ダンディ

私があこがれるスモーカー三人について、書くことにしよう。

今や日本のフォトグラファーの大御所的存在の立木義浩さんは、若い頃から素敵なスモーカーだった。くわえ煙草がとてもよく似合った。簡単に恰好がいいでは済まされない、魅力的な吸い方をしていた。

何をするにも煙草を銜《くわ》えていて、それが実にサマになっていた。ファインダーを覗く時は無論のこと、ビリヤードをやりながら、ポーカーに興じながら、唇の左端に必ずさりげなく煙草をくゆらせていた。

なにしろ長身にして痩躯、洒落た服装を見事に着こなしている。モデルの美女たちも見とれるほどだった。

初めて会ったのは、立木さん（すぐにタッちゃんと呼ぶようになった）が二十代の前半の頃だったが、そのダンディぶりはすでに板に付いていた。徳島から出て来た青年を見ながら、私の方がよっぽど田舎者のような劣等感を持ったことを忘れない。

マナーにも叶っていて、煙草の灰をあちこちに散らかしたり、吸い殻をポイ捨てしたりしなかった。当時、私たちはカードゲームはポーカー、オール、ブラックジャックなどを楽しんでいたが、タッちゃんは麻雀は絶対やらなかった。

その理由は、麻雀打ちの多くが、煙草を卓上に吹きつけ、灰を落とすばかりか、食べ終わったラーメンの器《うつわ》や空《から》の丼《どんぶり》、コーヒー・カップの中に無頓着に吸い殻を捨てる。それに耐えられなかったのである。そのことは、前にも書いた。

初対面の日に、タッちゃんのスタジオで見せて貰った『ブルース』と題する一連の写真に感動したことは今でも覚えている。米軍基地に住む若い黒人兵のドキュメントだった。そこに写っていた兵士の哀愁と悲壮感が直接伝わってくるような写真だった。煙草もまた大きな役割を果たしていたのである。

派手で華麗な作品は多くの人に知られていたが、社会派的な一面も持っていた。『話の特集』では一時期、アートディレクターの和田誠(マコちゃん)に指名されて、写真ページの責任者をやったことがある。その時の人選が実に的確だった。しかも新人を何人も発掘して、私たちを喜ばせてくれた。

立木さんの凄いのは、デビュー以来五十年以上もトップの座を走り続けていることだろう。月刊誌、週刊誌などの表紙やグラビアを飾っているばかりか、後進たちのよきリーダーとして活躍している。

久しぶりに草森紳一さんを偲ぶ会でお目にかかった時は、往年のアメリカの大作家アーネスト・ヘミングウェイを彷彿させるほどの重圧感を漂《ただよ》わせていた。煙草の吸い方も以前とまったく変わらなかった。

かつて徳島市の立木写真館の女主人だったタッちゃんのご母堂は、私の未来を高名な修験者に頼んで占って貰ってくれたことがある。その人の言によると、億万長者になった私が、立木一家に恩返しをするという。しかし、そんなことはなかなか実現されない。今も気が重くてならない。

倉本さんたちと『棺桶片足組』結成

今、テレビ界で大きな話題になっているのが、北海道の住人にして脚本家、倉本聰さんの連ドラ『やすらぎの郷《さと》』(テレビ朝日系)である。老いた往年の大スターたちが、介護施設で共に暮らしながら、終末を迎える設定になっている。これが実録風のストーリー仕立てで、なかなかリアルに描かれているのだ。

主人公の一人である石坂浩二《いしざかこうじ》さんが、それこそのべつ幕なしに煙草をくゆらせている。ご本人は実生活では禁煙中なので、演技に欠かせない煙草をやや持て余しているように見えて愉快である。

他でもないのだが、倉本さんはヘビースモーカーなのだ。記者会見の席でも、宣伝用のテレビでも、もくもくと片時も煙草を手離すことはなかった。

TBSラジオから生番組に出演を依頼された倉本さんは、「灰皿を用意してくれるなら出ます」と、回答したという。喫煙室でしか許可していないTB

S会館の情報を得ていた倉本さんらしい要求であった。TBSが確たる信念を持っているのなら、倉本さんの出演依頼を引っ込めて然るべきである。ところが、「灰皿を用意します」と全面降伏している。いかにインチキな会社であるかを如実に物語ったエピソードだ。

つまり行政からの指導とか、社会のムードとかで、理由もなく禁煙を決定している機構ばかりなのだ。煙草のパッケージに印刷されている「タバコは人体に悪い」という決まり文句を金科玉条として盲目的に利用しているだけである。理に叶ったものではないのだから、社会的な意味などカケラもない。

小林亜星

山根二郎

だから倉本さんによって、たちまちぼろを露呈してしまう。民間企業までもが、行政や自治体の取り決めを従順に模倣する。まさに日本的な悪習慣のひとつである。

私たちは昭和ヒトケタ生まれの老人だけで、三年ほど前に『棺桶片足組』という会《グループ》を作った。安倍政権の余りの独裁ぶりに業を煮やしたからに他ならない。このまま放って置いたら第三次世界大戦が起きてしまう。

倉本さんもその一員だが、今のところ桜《さくら》井《い》順《じゅん》（音楽家）、小林《こばやし》亜星《あせい》（タレント、音楽家）、田原総一朗（テレビキャスター）、山《やま》根二郎《ねじろう》（弁護士）、そして私の六人が参加している。他界してしまった同年輩《ヒトケタ》の仲間たちの無念も背負って、世直しに乗り出したのである。五月の旗揚げの会はネットで公開された。

この企画を最初に思いついた時は、『昭和ヒトケタもくもく組』と愛煙家だけの集まりを考えたのだが、これでは参加者に限りがある。六人の現会員の中で、煙草を吸っているのは倉本さんと私だけだ。

倉本さんも私も、NHKテレビに出演する時も必ず煙草をくゆらせている。VTRの場合はたいていカットされてしまうが、生放送の時は話をする直前に火を点《つ》ける。してやったりの心境になるから、これが面白くてならない。

喫煙の天才・宮崎駿さん

NHKテレビの中で平然と煙を吐き続けている方のひとりに、アニメ映画作家の宮崎駿さんがいる。残念ながら面識はないが、宮崎さんのヘビースモーカーぶりには感動すら覚える。作品の中でも必然的に喫煙シーンが出てくるから嬉しくなる。

スパスパぶりが板についているばかりか、違和感をいささかも与えない。ごく自然に、これほど旨いものは他にないといった愛情すら感じさせてくれる。いわば喫煙の天才と呼べる域に達しているように思える。

私が宮崎さんに親しみを特別に感じるのは、百六歳で生涯を閉じた伯父の物集《もずめ》高量《たかかず》（国文学者）がたくわえていた口髭と宮崎さんのそれがそっくりだからでもある。

伯父は十代から喫煙者になり、『ゴールデンバット』（戦時下では『金鵄』に改名）のチェーン・スモーカーだった。短くなると次の新しい一本に火を移して吸い続ける。吐いた煙が独特の髭をかすめて出てくるのだった。眺めていると、なかなかの風情だった。

高量は九十九歳で突然ペンをとり、『百歳は折り返し点』という著書を上梓した。これがベストセラーになり、被生活保護者から一躍資産家になった。これを機に『徹子の部屋』に四回招かれたことも売り上げを伸ばす結果になった。このことも前に書いた。老衰で亡くなるまで、休むことなく煙草を吸い続けた。

もともと東京帝国大学で教鞭をとっていたのだが、大正元年に『朝日新聞』の第一回懸賞小説に応募し、第一席に当選した。怠け者なのに、突然変異を遂げる名人でもあった。

小池都知事の狂気

ここまで書いた時に、驚くべきニュースが飛び込んできた。小池百合子都知事が、都議選に向けて「都民ファーストの会」の党首となり、選挙公約を発表した。その中に「自宅内禁煙条例」なるものがあった。それこそ何だこりゃの世界である。

元々、「東京オリンピックまでに東京を禁煙都市にする」と豪語していた人だから、何を言い出すかわからなかったが、厚労省が今国会での成立を目指してきた「受動喫煙防止法」が自民党、民進党の反対で廃案に追い込まれると知って、都議選に利用できると考えたようである。

それにしても家庭内にまで法律を徹底させようとするのは従来からのタブーであった。一種のファシズムに繋がりかねないからである。そこに敢えて踏み込もうとするほど、都議選が熾烈な戦いだった証拠かもしれないが、まさに狂気の沙汰としか言いようもない。

あの手この手で愛煙家を迫害する姿勢は、危険そのものではないだろうか。こうした小池都知事の乱暴なやり方に、果たしてどれだけの有権者が賛意を表するのか。

二〇二〇年は都知事選挙の年でもある。小池知事は自民党からの出馬を目論んでいるが、余りに節操のない行動である。オリンピックにしても、彼女は何の関わりもない。自分に利用できることは何でもやる。つまり、人間的に極めて賤《いや》しい。

こうした思い上がりによって、勝利を得たとしても、都民は強権によって、どのような被害を受けるか計り知れない。傍若無人の安倍一強にもうんざりするが、ヒステリックな禁煙条例の制定がどれほど恐ろしいことかを思い知って欲しい。彼女が口にする都民とは、一体いかなる人々なのだろうかと、考えさせられてしまうではないか。

政治家は自らの発言に、もっと責任を持って貰いたい。

チェ・ゲバラの遠い眼差し

一九二八年にアルゼンチンに生まれたチェ・ゲバラは、若き日に医師としてグアテマラ革命軍に参加し、のちにフィデル・カストロと共にキューバ革命を成功させた。もともと革命家だったゲバラは、キューバのカストロ政権のもとで、国立銀行総裁、工業相、そして外務大臣の要職に就くが、一九六五年にキューバを去り、二年後にはボリビアに渡り、革命戦士の一人として、ラテン・アメリカ革命に参加する。

その情報を常時握っていたカストロに裏切られて、アメリカCIAによって、活動中に殺害された。何と遺体はボリビアからキューバに移され、盛大な国葬が行われた。いわゆる政治の裏側を歴史的に調べてみると、チェ・ゲバラを永遠にキューバ革命の立役者として残すために暗殺されたことが明らかになってくる。

ところで、今、私が愛用している煙草は、何度も述べているが、キューバから輸入されている「che《チェ》という銘柄なのだ。この煙草はタールとニコチンの含有量が五段階に分かれていて、私が常用しているレッドのパッケージにはタール7mg、ニコチン0・7mgと記されている。葉の原料はキューバ産の葉巻で、フィルター付の二十本入りである。ベレー帽をかぶったチェ・ゲバラが、パッケージから一本取り出すごとに遠い眼差しで虚空を仰ぐのだ。巻きは緩いが味は実にいい。外国タバコとしては四百三十円（後に四百八十円）と安価なのも有難い。

一応、私の煙草銘柄の変遷を記しておくと、のみ初めは両切りピース、次いでアメリカ煙草のハーフ&ハーフのシガレット、これが無くなってからは両切りのキャメル、五十歳を過ぎる頃からフィルター付のピース、キャスターマイルドそして現在のフィルター付のcheという経緯である。

こだわりが強いので、常時切らさないようにカートンで購入している。かつてはダンヒルのライターを使用していたが、今ではもっぱらBICの使い捨て百円ライターになった。ただし服装によってライターの色を変える。何ごとにもこだわりが大切である。

cheを愛用するようになって、約五年経つが、表裏に印刷されているチェ・ゲバラの写真を見る毎に、私なりの闘志を抱くことができるのが嬉しい。十分間隔ぐらいにゲバラと対面していることになる。今でも彼は三十九歳の革命家のままだ。

チェ・ゲバラが死んだのは一九六七年だから、『話の特集』が創刊されて二年ほど経ってからだった。創刊号（一九六六年二月号）には、斎藤龍鳳《さいとうりゅうほう》さんがゲバラの評伝を詳しく書いている（インターネットで読めます）。

チェ・ゲバラの自伝で知る限りでは、彼は独裁を忌み嫌っていた。強権は人民を抑圧するという信念を持っていたのである。

懐かしさと無限が揺蕩《たゆた》う

現在の国際社会においては、人類の未来が脅かされている。アメリカ、ロシア、中国などの大国が、揃いも揃って独裁国家の様相を呈している。他にも独裁と強権が犇《ひし》めいている。

そこで一本抜いて火を点《つ》ける。紫煙の行方を追えば、反骨の歴史が鮮やかに甦ってくる。

初めての喫煙経験は、敗戦直後のモク拾いからだった。チビた煙草に火を点けて、指先に火傷《やけど》する寸前まで吸う。進駐軍のジープから投げ捨てられるシガレットは貴重だった。吸い殻を集めて、それをほぐし薄い紙で巻く。辞書のページを破って巻くこともあった。

中学生時代には隠れて吸うことが普通だった。部活でキャプテンが禁煙するように伝えても、誰ひとり聞く耳を持たない。サッカーをやっていて、部室に監督が入ってくると、漂っている煙を必死で消そうとしたものである。

七十年間の友人であるプロ写真家の藤倉明治《ふじくらめいじ》とは煙草だけでも、語り尽くすことの出来ない思い出がある。フィールドを走り回ったサッカー部時代、二人で冬山へ行き、吹雪に閉じ込められて、雪洞の中での凍てつきながらの一服も忘れられない。

癌が見つかって、藤倉は煙草を取り上げられた。見舞いに行った病室でコッソリ手渡したりした。医師が入ってくると、あわてて窓を開けたり気配を消したりしながら、少年の日々を思い出して楽しかった。

久しぶりに、渋谷の雑踏の中で、藤倉に写真を撮影してもらった。カメラを手にすると一瞬老いから解放されるのが面白かった。写される側はとことん老いている。茶目っ気を発揮して、吐きだした煙を顔全体に貼り付けて見せる。

「うん、いいぞ!」とファインダーを覗く写真家から励まされる。

藤倉明治は芯は芸術写真家だ。光と影を交錯させて未知の映像を誕生させる。しかし、それだけに専念していれば収入は0《ゼロ》だ。彼は世界各地を訪れて、祭りや風俗、民芸品、生活スタイルなどを克明に写し、百科事典や絵葉書、カレンダー会社に提供して糧《かて》を得てきた。私を撮る気になったのは、互いの老いを確認する作業を必要と感じたからだろう。つまり、これはアートであり、記録《ドキュメント》なのである。私は思い切り、自分を曝《さら》けるしかなかった。

その行為が思いの外《ほか》楽しかった。

疲れ果てて、永年通い続けてきた喫茶店に入った。立て続けにタバコを吸う私を藤倉は速写する。煙を吐いていなくては、恥ずかしくなるような感覚を味わっていた。実に不思議な心地良い虚脱感の訪れでもあった。

立ち昇る煙の中に、様々な人の面影が浮かんでは消える。あの人がいた、この人もいたと懐かしさと共に無限が揺蕩う。

チェ・ゲバラは太い葉巻を唇の右端にくわえて笑顔を見せている。いつもの柔和なたたずまいだ。

ヤルタ会談に集まった連合国の首脳たちも、それぞれのポーズでTABACCOをくゆらせている。あの有名な写真は、真ん中に、セオドア・ルーズベルト、向かって右に髭を蓄えた鋼鉄の人スターリン、左に葉巻のチャーチル。米ソ英の重鎮たちの晩年の姿は実に印象深い。

一緒に煙草を吸った日々が忘れられない人たちが、走馬灯のように流れて行く。あの楽しかった毎日を彩ってくれたのは、まぎれもなく煙草の存在だった。

小沢昭一さんの特徴は何と言っても話芸だ。小道具は煙草であった。どこから見てもサマになっていた。

灰谷健次郎《はいたにけんじろう》、伊丹十三、筑紫哲也、ばばこういち、岩城宏之、黛敏郎、福田陽一郎、草森紳一、野坂昭如、藤田敏八、若松孝二、まだまだ次から次に現れる。あの人、この人、タバコつながり。さて、今宵も一服して寝るとするか。

第十三章

『銀座カンカン娘』と『東京キッド』

空襲で焼け野原になった東京で、最初に復興した盛り場は銀座だった。敗戦から四年後に、銀座通りは商店が立ち並び、人通りが蘇ったのである。明るい歌声だった。何よりも老いも若きも口ずさんだ。

〽あの娘可愛いや　カンカン娘
赤いブラウス　サンダルはいて
誰を待つやら　銀座の街角
時計ながめて　そわそわにやにや
これが銀座の　カンカン娘
雨に降られて　カンカン娘

傘もささずに　靴までぬいで
ままよ銀座は　私のジャングル
虎や狼　恐くはないのよ
これが銀座の　カンカン娘
（『銀座カンカン娘』）

歌うのは高峰秀子。彼女が主演した同名の東宝映画は大ヒットした。作詞・佐伯孝夫《さえきたかお》、作曲・服部良一《はっとりりょういち》、昭和二十四年に発表された。

その半年後に美空ひばりの『東京キッド』がヒットする。こちらは藤浦洸《ふじうらこう》・作詞、万城目《まんじょうめ》正《ただし》・作曲による。

〽歌も楽しや　東京キッド
いきでおしゃれで　ほがらかで
右のポッケにゃ　夢がある
左のポッケにゃ　チュウインガム
空を見たけりゃ　ビルの屋根
もぐりたくなりゃ　マンホール

歌も楽しや　東京キッド
泣くも笑うも　のんびりと
金はひとつも　なくっても
フランス香水　チョコレート
空を見たけりゃ　ビルの屋根
もぐりたくなりゃ　マンホール

雰囲気はソックリ、復活ニッポンを夢見て銀座を舞台に歌っている。いうなれば打ち上げ花火のような歌であった。誰もがどちらかの歌を一度は口ずさんだはずである。

だが、まだまだ国民生活は苦しかった。吉田茂《よしだしげる》内閣の大蔵大臣池田勇人《いけだはやと》は「貧乏人は麦を食え！」と発言して、庶民の顰蹙《ひんしゅく》を買っている。

この二つのヒット曲は、タバコが宣伝の大役を買ったように記憶している。ポスターでは小道具としてタバコが登場していたように思うが、はっきりしない。

婦人参政権が与えられ、女性の進出が復興に結びつけられた。

折しも朝鮮戦争が勃発して、日本に特需景気が降って湧いていたのである。しばらくは、まるで復興への導火線のように、『銀座カンカン娘』と『東京キッド』はヒットを続けた。

そのシンボルでもあったタバコが、今や東京から締め出されようとしている。時代は変わったものだ。

恐ろしいのは東京都の小池百合子知事が、条例の中に、家族での受動喫煙までも禁止の対象としていることだ。法律が家庭の中に入ってくる。こんなことは前代未聞の出来事である。年齢的に、小池知事は『銀座カンカン娘』も『東京キッド』も知らない世代かも知れない。あの時代の解放感がタバコの煙と共に東京に立ちのぼっていたことを知るわけがない。

これは思いのほかに大切な事のように思えてならない。

大阪や横浜と一緒になって、カジノを誘致しようとしているが、タバコに嫌悪感のある人が、カジノに賛成していることが、私には信じられない。カジノとタバコは世界の何処であろうと切っても切れない関係にある。酒のグラスを手に、タバコをくゆらしながら、賭け事《ギャンブル》に興じる。それがカジノだ。

誤解のないように言っておく。カジノは実際にはイタリア語のCASINOが語源であり、カシーノ（保養所又は社交場）でなくてはならない。賭博を主としているアメリカではカジノと呼ぶ所が多いらしいが、せめて日本ではカシーノであって欲しい。

基本的にはのんびり楽しむユルイ施設であるのが望ましい。私はタバコを禁じるなら、東京にカシーノは作ってはならないとすら思う。

吸わない人の理由

いわゆる嫌煙権運動をやっている方々とは、私は距離を置きたいと考えている。つまり、煙草の害を訴えている人と争っても、どうにもならないと思うからだ。ニコチンが悪い、タールが悪い、肺ガンになるといった主張は、全くその通りだと考える。だから、煙草は良くないというのは論点にはならない。単細胞的論理である。

悪いかも知れないが、私は吸うという意志を持っているのだから、所詮かみ合わない。悪いものは禁じるという理屈には絶対に負けないつもりである。嫌うことも、吸わないことも自由であるように、喫煙者には、それなりの覚悟があるのだ。そこを分かって欲しいと思うのだが、それがどうにも通じない。健康なんて何の意味すらない。

もちろん、煙草を嫌っている人の前で、わざわざ吸ったり、子供の顔に煙を吹きかけたりはしない。慎んで吸っている。吸いガラにしても、ポイ捨てなどは絶対にしない。止むをえない時は、あの収容所のような喫煙室を使うこともあるのである。

以前にも書いたことがあるが、愛煙家は空気の良い所で吸いたいのである。他人の煙草のケムリなどまっ平ご免なのだ。まして、煙の出ない煙草などもっての他である。まったく存在理由がわからない。

若い頃から不摂生を絵に描いたような五木寛之さんには、私はずっと尊敬の念を抱いている。五木さんは風呂に入らないばかりか、若い頃は、歯もみがかなかった。少なくとも知る限りはそうだった。食事はきわめて不規則で、一日一回の時もあれば、忘れて食べない日もあると今も聞いている。病院で検査を受けるのも嫌いだから、体調が悪くても、ほとんど医師を頼らない。見上げたものだ。

それでいて、いつも元気（に見える）だから不思議でならない。弱音も吐かなければ、愚痴をこぼすこともない。原稿の〆切りは絶対に守るし、遊びの約束を違えることもなかった。

最初にお目にかかったのは二十代の後半だったと思うが、おそらく現在まで同じように生きておられるに違いない。

知り合った時には、すでに煙草を吸わない人だった。それでもこっちが煙草を吸っても、不愉快な顔ひとつしない。

しかし、空気が濁ることはお嫌いな様子であった。一時間くらい麻雀をやっていると、部屋が煙草のケムリでもうもうとなる。すると五木さんは、

「ソロソロ、空気を入れ換えましょう」

と、言って、自ら窓や扉を開放して、座布団を持って入れ換え作業を一人でやる。人に頼んだりはしない。だいたい空気が澄んだと思うと、ちゃんと窓や扉を丁寧に閉め、

「さあ、始めましょう」

五木寛之

と、雀卓に腰を下ろす。おおよそ五分くらいだから、他の者どもはヤレヤレといった顔付でボンヤリその作業を見守っているだけだ。

「煙草をのむな」など余計なことは一言も口にしない。平常心そのものといった調子なのだ。

そして、入れ換えをやる。いかにも楽しそうにたった一人でやってのける。

改めて聞いたことがないので、憶測にすぎないのだが、つまり諦観《ていかん》している。ゲームに集中し、イヤな素振りもしない。遊んでいる時は、ほとんど陽気で、軽口を叩くことはあっても、他人を非難したり傷付けたりはしない。とにかく楽しく遊んで、勝っても負けても機嫌が良い。私はずっと感心してお付き合いしていただいた。

煙草は吸わないが、文句は言わない。それに徹している人は、五木さんの他に思い出せない。

最近の五木さんのエッセイを読むと、健康のことや、老いのことが出てくるが、諦めや嘆き節などはジョークとして語られ、読み終わるといつも爽快な気分にさせてくれる。健康何するものぞという気概に溢れている。こんな生き方をしている人が元気なのだから、こちらも少しは頑張らなくてはと思い知らされる。手練であり、まさに人生の達人なのだ。

後になって悪かったと反省させられることはいくらもあるが、長谷川《はせがわ》きよしさんに対する配慮のなさでは、私はずいぶん失礼なことをしている。

煙草を吸わないことにしても、目の見えない人にとっては、日常的に煙草が吸えないのだと

長谷川きよし

言うことに、なかなか気付かなかった。

ある日、当時群馬県の前橋に住んでいた長谷川きよしさんの家で麻雀をやった。阿佐田哲也さん、中山千夏さんとの四人で和気藹々《わきあいあい》と打っていたところ、突然、雷鳴が轟き、停電になってしまった、

三人は異口同音に「どれくらいで回復するかしら」と暗闇の中でブツブツ言う。するときよ坊（いつもの通称）が、

「さ、これでやっと対等になりましたね。では、続けましょう」

と、事もなげに三人を促したのである。

私たちは全員沈黙したままだった。配慮をしているつもりだったし、彼のハンディを理解しているとずっと思い込んでいたのだが、本質的には何ひとつわかっていなかったことを思い知らされたのである。

「やっと対等になった」という一言が、重く伸《の》しかかった夜だった。

ＴＢＳから退社して、テレビマンユニオンという、日本で最初のテレビの制作プロダクションを作った七人のサムライの一人に、宝官正章《ほうがんまさあき》さんがいる。

彼は東大出の超エリートで、入社当時から必ずＴＢＳの社長になると胸を張って豪語していた人物でもあった。唯一の趣味は麻雀で、他のほとんどの遊びには全く興味を示さなかった。

何事についても合理的に考え、鼻持ちならないほどの理性の持ち主であった。したがって煙草と酒は成人してから一度も口にしなかった。悪習慣のひとつだと切って捨て、他人の喫煙については、とやかく言わずに、唯我独尊といったスタンスを維持していた。

身長１８０センチ余り、姿勢もよろしい。常に上質な背広を着て、シャレたネクタイを愛用していた。

仕事仲間には至って親切で、礼節を重んじるタイプなので、普通なら近寄り難いはずなのに、人をソラさない。話を熱心に聞き、次から次にテレビプランを実行する。つまり文句のつけようのない有能なテレビマンであった。

「麻雀が弱い人は、頭が悪い」と、平然と口にするのには呆然とさせられた友人も多かったが、余りに勝負強く、滅多に負けたりしないから、彼の発言を非難できる者はいなかった。

もちろん欠点のない人間なんているわけがないから、余りにも理路整然としているので、私はそれを見とがめて、皮肉を言うのが楽しみでならなかった。

やっと気がついたのは、「タバコをのまない」という突破口だった。つまり、彼には試してみるという考えが一切ない。最初から「意味がない」と決めつけている点だった。いつか大きな破綻の時を迎えるのではないかという危惧があった。

やがて事業に失敗する日がやってきた。その時の予想しえないようなモロさは、私を驚かせた。もちろん、いさぎの良い退場だったが、立ち直る芽を自ら摘んでしまうような最後だったのである。もし彼が煙草を日常的に吸っていたら、こんな運命に遭遇しなかったに違いないと私は今も確信している。

煙草を吸わなかった三人の友人を私が思い出したのは、その拒否の姿勢の違いにある。煙草のリスクというものは、パッケージに印刷されている警告とは、全く無関係なのだと立証したかったからである。

煙草の魅力は人さまざまである。しかし、煙草を軽んじない人の生き方の中には、見るべきものが沢山あるような気がしてならない。

文士たちの喫煙

今の作家たちで愛煙家がどれくらいいるか私は知らない。簡単に言えば、最近ほとんど付き合いがないからである。

昔の文士で煙草を吸わなかった人がいただろうか。これまたまるで思い出せない。

私が編集者時代に親しかった作家たちは、十人中九人はもくもくやっていた。山口瞳、虫明《むしあけ》亜呂無《あろむ》、色川武大（阿佐田哲也）、井上ひさし、野坂昭如、中山《なかやま》あい子《こ》、小松左京、星新一、夏堀正元《なつぼりまさもと》、藤原審爾、吉行淳之介、梶山季之《かじやまとしゆき》、川上宗薫《かわかみそうくん》、近藤啓太郎《こんどうけいたろう》……もう枚挙にいとまがない。

さて、今の作家たちとなると、大御所では筒井康隆《つついやすたか》、その他では浅田次郎、伊集院静《いじゅういんしずか》、北方《きたかた》謙三《けんぞう》の三氏あたりで止まってしまう。

やはり懐かしいのは明治・大正・昭和の作家たちである。文豪夏目漱石、森鷗外はもとより、菊池寛、芥川龍之介、直木三十五、久米正雄、江戸川乱歩《えどがわらんぽ》、横溝正史《よこみぞせいし》、川端康成など、タバコを吸っている素敵な写真を沢山残している。

次いで太宰治《だざいおさむ》、田村泰次郎《たむらたいじろう》、井伏鱒二《いぶせますじ》、織田作之助《おださくのすけ》、横光利一《よこみつりいち》、坂口安吾《さかぐちあんご》、山田風太郎、柴田練三郎、五味康祐、……この人たちの喫煙写真を並べたら壮観だろう。是非、実現してもらいたい。

明らかに、彼らの作品には煙草のケムリが沁み込んでいる。右手にペンを持ち、左手にタバコを持った姿が、織り物の横糸縦糸の如くに名作をつむいだに違いないのだ。

思い出の一服

灰谷健次郎《はいたにけんじろう》さんを知ったのは、著書『兎の眼』を読んだ時だった。十七年間の教師生活を経て、児童文学者として、あるべき教育・教師像を追求した傑作だった。一九七四年に発表され、大反響を呼んだ。続篇とも言える『太陽の子』は四年後に出版され、一九七九年に第一回「路傍の石文学賞」を受賞している。

『話の特集』に原稿を言いて欲しいと灰谷さんに手紙を出し、授賞式の翌日に初めてお目にかかった。ほぼ同世代の私たちは、たちまち打ちとけたのだが、執筆についてはペンディングになって、その日は別れた。

灰谷さんはヘビースモーカーで、言葉を選んで話す合間にゆっくりと煙草を吸い、ケムリを吐く。私も負けずに煙草をのむので、目の前の大きな灰皿が、たちまち吸い殻で一杯になった記憶が鮮明に残っている。

意外だったのは、灰谷さんと私が、大層なギャンブル好きという共通な趣味を持っていることだった。真摯な教育者というイメージを持っていた私は、話がギャンブルに及んだとたんに、やっと打ちとけることが出来たのだった。

払はカード、麻雀などが主だったが、灰谷さんのギャンブルはスケールが大きかった。海外でギャンブラーとして遊んでいる傍ら、国内では競走馬を何頭も所有し、公営競馬でレースに出走させる馬主であることを知って、スケールの大きさに感動したのである。と、同時に彼の専門である教育と詩人・文学者の立ち位置とのギャップに呆然とした。その謎を解く鍵が、結局は煙草だった。

しかも、スポーツマンとして海で素もぐりを常時やっているダイバーでもあった。私は『話の詩集』には趣味の領域で仕事をしていただきたいと熱心に口説くことになったのである。

「矢崎さん、私はあなたの眼を見た瞬間に、ギャンブル好きだとわかったんです。僕と共通の光がある。だから、友達になりましょう。で、機会を見つけて、一緒に遊びませんか」

原稿依頼はとんでもない方向に発展してしまったのだった。灰谷さんは、初対面にもかかわらず、心を開いてくれたのである。

それからというもの、競馬場へ通ったり、ポーカーやブラックジャックに暇を見つけるとのめり込むようになった。間を取って、そして決断する。時には組んで戦うこともあった。互いを見やると、口に煙草をくゆらせている。そして、眼でサインを送り合う。あれは愉悦の極みであった。

中山千夏、永六輔と『学校ごっこ』という歴史を教える私塾を作った時は、灰谷健次郎を講師に招聘《しょうへい》した。児童文学者としてゆるぎない方であったことはむろんである。

灰谷さんが病に倒れて、熱海で療養中に、中山さん、永さんと一緒に、花火大会に招いてもらった。灰谷さんの海辺の家から、真上に花火が上がる。気がつくと灰谷さんと私は楽しそうにチェーン・スモーカーになっていた。

「あ、お別れの日は近いな」

口には出さなかったが、上機嫌な灰谷さんを囲んで、その夜はゆったりした時間を楽しんだ。悲しみの影に脅えながら……。


浅田次郎さんが、日本ペンクラブの会長に就任した期間は、久しぶりにペンがペンらしい活躍を取り戻した。世界平和を訴え、国家権力と正面から対決したのである。

残念ながら、私は浅田さんが会長になる以前に日本ペンクラブを退会している。外務省の外郭団体になったことと、道路民営化の委員になった猪瀬直樹《いのせなおき》に抗議して、井上ひさし会長に猪瀬除名を求めて有志六人とともに総会で動議を提出し、拒否されたことで、退会せざるを得なくなったからだ。

浅田さんは、私たちの抗議に対して、どのような態度をとられたのか記憶にないが、少なくとも理事の一人としては、私たちの行動に賛意を示されていたと思う。

そんな或る日、東京競馬場でバッタリ出会った。まだ煙草が場内でのめた頃だったから、ヤアヤアと共に喫煙した記憶がある。彼も私も目いっぱいにオシャレをしていた。遊びにはゆとりが大切である。浅田さんは、黄色のマフラーを首に巻きつけていて、それがとても似合っていた。

その時、競馬の話ではなく、世間ばなし風ではあったが、日本が悪い時代に逆戻りしているのではないかという危惧について語り合った。遊びや喫煙についても、規制ばかりが先行している。楽しみがどこかしら奪われている気配を感じられてもいるようだった。

黒鉄ヒロシさんも加わって、一服が二服になる。ベルが鳴り、あわてて穴場へ向かうのだった。

遊びの中に宿る自由な雰囲気が、あちこちで失われて行く。諦めてはいけないと自分に言い聞かせつつ、次第に追い詰められてしまうのだから、昨今はどうにもやり切れない。

伊集院静さんは、かつて無頼派作家と呼ばれた時期もあった。その面影はどこかに残っているかも知れないが、作風も落ち着いて、今や大家の風貌すら感じさせる。

神楽坂《かぐらざか》の寿司屋で、ある日、十年ぶりくらいに出会った。

かつては徹夜マージャンに興じ、競馬場に通った仲間であった。新進作家として脚光を浴びる直前である。

礼儀正しく、人を外らさない。無頼な行状は知られていたが、師と仰ぐ色川武大さんの影響もあった。実際には稀に見る好青年であった。

若くして亡くなられた女優の夏目雅子《なつめまさこ》さんと結婚生活を送っており、世間の必要以上の羨望の的だった時期もあって、立ち直るには大変な努力だっただろう。むろん、それが伊集院さんに磨きをかける結果になったに違いない。

寿司屋さんは禁煙だったが、カウンターの後ろにある椅子席に灰皿が見えた。恐らく常連客を持てなす店主の配慮からだろう。

私たちはそこに向かい合って腰を下ろし、煙草に火をつけた。煙草なしに話すことなど、あり得ない。無論そんな二人でもあった。

長いブランクではあったが、彼は東日本大震災を仙台で体験している。話が震災に及ぶと、迫力があった。まさに九死に一生を得たのであった。

それが、これからの作家活動にどういう影響を与えるかが、強く私の興味を惹いた。それなのに、どこか苦い煙草だった。どこかで私とのズレがあるような気がしてならなかった。

煙草を片時も手放さない作家たちに、私は今も憧れと期待を抱き続けている。

第十四章

三遍まわってタバコにしょ

『広辞苑』が十年ぶりに改訂された。電子辞書が主流を占める現実を憂える人々は、欣喜雀躍《きんきじゃくやく》した。

何しろ電子辞書の間違いと欠陥は目に余るものがあり、現代語のみならず、歴史的事実すら歪めかねない状況にある。さらに虚偽と誤謬《ごびゅう》は交互にそれを助長する傾向にあるのだからめちゃくちゃである。

新村出《しんむらいずる》編による岩波書店の『広辞苑』は、今回で第七版となるが、一九五五年の初版以来、二〇一八年の今日に至るまで、単なる辞典としてだけでなく、百科事典としての役割も果たしてきた。まずタバコの項を引いてみる。

タバコ【tabaco ポルトガル・煙草・莨】(アメリカ先住民語からか。一説に西インド諸島ハイチの語）①ナス科の大形一年草。全草に毛があり、花は管状で赤または白色。全草有毒。タバコ属の野生種は約六〇種類あるが、栽培種は数種。南アメリカ原産。スペイン人によりヨーロッパに伝えられ、始めは観賞用・薬用に栽培されたという。アメリカ・中国・インドその他で広く栽培され、加工して喫煙用とする。日本には一六世紀に九州へ渡来。関東北部・九州南部などが主産地。②1の葉を乾して発酵させ、葉巻・巻煙草・刻み煙草・嗅煙草・嚙煙草などとしたもの。葉が含むニコチンは依存性をもたらし、葉を燃やした煙が含む有害物質は喫煙関連疾患の危険因子とされる。〈毛吹草四〉。「三遍まわって—にしょ」

タバコくわえて、どこをどうまわっているのか。女郎買いなのか、それとも他意ありや。私のタバコ体験は、焼跡・闇市のモク拾いに発しているから、きっかり七十五年になる。誰もが目の色を変えて吸い殻を漁った。拾ったモクをほぐして紙巻きタバコを作って売る者もいた。今や遠い光景だ。

タバコには歴史が刻まれてきた。江戸時代までは、もっぱら煙管《キセル》が愛用された。なんと刻みタバコをつめて火を点ずる手法は、カンボジアから伝わっているらしい。

文明開化で押し寄せたのは、シガー&シガレットだった。ヨーロッパ文明である。文明開化の日本では、すべてが物真似《ものまね》。とにかく追いつけ、追い越せは衣・食・住から派生して行った。趣味趣向においても、自分という個性はどこにも存在しなかった。チョンマゲを切り、帯刀を禁じた。シルクハット、Yシャツ、ネクタイ、ステッキ、革製シューズ、燕尾服《えんびふく》。おそらく初期にあっては滑稽そのものだっただろう。列強との距離は、外形によって一気に縮まったかのように見えたが、それが錯覚そのものだったことがやがて判明する。明治維新そのものが薩長のインチキだった。

かくて無謀な戦争へと真っしぐらに突き進んで行く。そして、第二次世界大戦での敗戦。昭和天皇の責任回避。ズサンな象徴天皇制。

冷静に考えてみると、日本が国際社会に独立国としての存在をアピールしたのは、明治政府が樹立された時だった。つまり、明治維新によってである。

今から百五十年前。一八六八年が独立記念の年ということになる。戦争に敗れて、アメリカの占領国となったのが七十五年前。さて、日本の独立は完全なものかどうか。

例えばロシアとは、いまだに講和条約すら結んでいない。北方領土四島と樺太《からふと》・千島《ちしま》は、返還されないままである。正確には、日本にとっての第二次世界大戦は終わっていないことになる。

SF作家たちの宴《うたげ》

さて、タバコに戻る。

〜恩賜《おんし》のタバコをいただいて……

まだ、戦争は続いている。世界のあちこちで天変地異が激しさを増し、大気汚染は限界を越えている。人類は危機に直面している。

現に世紀末を予告する終末時計は、人類滅亡まで、アト二分しかない。

それでも、キミたちは喫煙者に禁煙を迫るのか。二〇二〇年に受動喫煙防止の法案を作るつもりなのか。喫煙者いじめの値上げを断行するのか。それはあまりに卑劣な行為だ。しかも、無意味そのものだ。

自動車の排気ガス、工場の煙突が吹き上げる二酸化炭素、途方もなき軍拡のエネルギー利用、核兵器保有などなど。これらに比較するならば、タバコは地上の塵《ちり》ほどの存在でしかない。百悪から目を逸らすために、タバコに注目する愚を一日も早く中止して欲しい。

ここではっきりしておきたいことは、核兵器を保有するあらゆる国は、核を廃棄することによって、地球と人類への誠意を示してもらいたい。百害あって一利なしの核爆弾と、放射能を排出する原発をはじめとする核物質を地上から閉め出す必要がある。

アメリカ、ロシア、中国、フランス、イギリス、インド、パキスタン、そしてイスラエルと北朝鮮。それに追従する日本をはじめとする国々。これらの国が決意するしか、地球と人類の未来はない。

SF作家たちは、こぞって未来を描くことに専念してきた。したがって、スケールが大きい。

彼等が花開いたのは、おおよそ五十年前だった。『SFマガジン』が早川書房から一九五九年に創刊され、鬼才福島正実《ふくしままさみ》編集長が星新一をトップに、多くのSF作家を次々に世に送り出した。『話の特集』の創刊号が店頭に並んだのが、一九六五年十二月二十日だから、もちろん後塵を拝してはいた。それでも三本の小説の内、一本をSFにする方針を初めから決めていた。いきなり星新一というのは、とうてい無理だったがトップ格の小松左京に連載を依頼することにした。大阪在住の作家だったから、上京されるのを待って、私の他に和田誠、横尾忠則が羽田空港に出迎えて、半日がかりで創刊号からの依頼を説得した。

小太りで早口、何より驚いたのは、タバコの吸い方だった。ショートホープを取り出し、火をつけると、ほとんど、三回吸うと灰皿に捨ててしまう。しかも、その直後に、また次の一本を抜き取って口にくわえる。たちまち消す。その連続のめまぐるしさと言ったら、どう表現したら良いのかわからない程であった。

灰皿は吸い殻の山。十本入りだから、次々に新しい箱の封が切られる。まさにアッ気にとられる私たちをすっかり煙に巻いてしまった。これぞまさに宇宙スタイル。

創刊からの連載が決まったのは嬉しかったが、三号目に突然、編集部に一人の美青年を連れてきた。

「オレは刺激が欲しくなって、毎号ではなく、一号毎に新入と競作がしたくなった。福島は妨

筒井康隆

害工作に乗り出すかも知れないが、この男は正しくSF界の新星なんだ。もし、オレを越えるとしたら、こいつしかいないだろう」

その美青年は、筒井康隆と名乗った。芝居の稽古中に小松さんが拉致してきたとかで、ハムレットの衣装のままだった。

先輩の小松さん同様に、筒井さんも次々にタバコをふかす。まさに、ヘビースモーカーのそっくりさんみたいだ。

『話の特集』四号目に「お玉熟演」が掲載される。小松さん顔負けの傑作だった。以後、二人の競作が続き、大きな反響を呼んだのである。

当時のSF作家たちは、気味が悪くなるほどに仲間内で群れていた。もちろん親玉は星さんで、兄貴分が小松さん。大伴昌司《おおともしょうじ》、豊田《とよた》有恒《ありつね》、半村良《はんむらりょう》、平井和正《ひらいかずまさ》と群雄割拠といった有り様だった。言うなれば『SFマガジン』の福島チルドレンたちである。

彼等は千点十円という超格安レートの麻雀に興じ、小さな部屋にひしめき合うように屯《たむろ》して、もくもくとタバコの煙を吐きながらブラックジョークを言い合うのだった。既成の文壇の悪口はもとより、SFを軽蔑する風潮を罵《ののし》りまくる。実に痛快この上ない罵詈雑言《ばりぞうごん》が乱れ飛ぶのだった。

SF作家たちの力量は、誰から見ても優秀だった。それにもかかわらず、いわゆる文学賞の対象からほとんど外されていた。いわば文学の外側に置かれるといった扱いを受けていたのである。それが団結を強くしていたのだろうけれど、半村良が直木賞を受けるまでは、小松左京も筒井康隆もノミネートすらされなかったのである。

ショート・ショートという特異なスタイルではあったが、星新一の世界は、高度な文学として認められなくてはおかしい。それほどの独特な頂点を築き上げていた。

星新一のショート・ショートに『K』という作品がある。

ある日、忽然《こつぜん》と世の中からタバコが消える。主人公のKは、枕元に置いたタバコが失くなっていることに気づいて、タバコ屋に走る。街にはタバコ屋が消えていて、タバコにまつわるあらゆる痕跡は皆無だった。つまり影も形もない。誰に尋ねてもタバコそのものを知らない。Kは驚愕の余り、我を失った。

星新一

この絶妙な作品は、愛煙家に恐怖心を与えるに十分だった。日常から非日常への転換の中に、私たちの生きる不安が投影される。まさに現代を予言していた。

筒井康隆にも「最後の喫煙者」という傑作がある。筒井さん一流のスラプスティックで、嫌煙権運動の次元の低さと、その裏側に流れるファシズムの脅威を見事に描いている。現代社会に潜む果てしない不条理と、何よりも大切な自由への希求を踏みにじっている現実を鋭い視線で、看過できない事態として促えている。筒井さんは自らの作品を「ドタバタ」と分類しているが、そこにこそ真理があることを教えてくれる。

星さんも小松さんも、そして現役の喫煙者である筒井さんも、タバコを愛することによって、どれほどの意味があるのかを熟知していたのである。

おそらく、名誉ある最後の喫煙者は筒井さんが全うされるに違いない。私は安心して、消え去ることができそうだ。

老いてますますエロい文豪礼賛

その私が、二〇二〇年一月三十日で、満八十六歳を迎えた。こんなに長く生きるつもりはなかったのだが、生きているからには、楽しく毎日を送りたい。

ところが、そう簡単には行きそうにない。肉体がどんどん衰えていることを嫌でも思い知らされているのだ。無理が効かない。徹マンはともかくとして、就寝直前に食べると苦しい眠りに襲われる。悪夢に苛《さいな》まれる。そして、たちまち体調を崩す。

正月になって十日間ほど風邪につかまってしまった。熱がなかなか治まらない。喉がやられる。タバコがのめなくなる。これが一番辛い。

「これで止められますね」

と、医者は嬉しそうに言う。

「タバコが美味《おい》しくのめるようにするのがキミの仕事だ」

と、私は厳しく言い返す。

もう、この年になってしまうと、滅多に年上の方にお目にかかれない。現役世代は皆若い。私の流儀は、私より若年の方には毅然として立ち向かうことにしている。年寄り扱いさせない唯一の方法はこれしかない。

隙を見せると必ず付け込んでくる。そうはさせない。主治医といえども患者としてではなく、先輩として堂々と接する。

病《やまい》になって、病院で三日、自宅（一人暮らしである）で一週間、無煙のまま過ごした。地獄の沙汰である。抵抗は無論試みたのだが、咳込むばかりか、血痰が出る。口惜しいが降伏せざるを得ない。

テレビは俗悪で観るに耐えない。ことに国会中継は酷い。政治家は小者ばかりで、矜持《きょうじ》のカケラすらない。ことに大臣と与党議員は見るも無残である。いつの間にこれほど堕落してしまったのか、呆然としてしまう。

かくなる上は、読書しかない。これまた最近の小説ときたら小粒で、二、三頁も読むとイライラしてくる。文章が下手なのだ。それに言葉の使い方を全く知らない。ムラムラと怒りが込み上げてくる。

やっぱり、昔の文豪たちは上等である。言葉を何よりも大切にしている。今や文庫本でしか手に入らないが、急拠買い漁って数冊寝床に持ち込んだ。

谷崎潤一郎《たにざきじゅんいちろう》、永井荷風《ながいかふう》、森鷗外、泉鏡花《いずみきょうか》、山本周五郎、川端康成、山田風太郎ゾロゾロ、まあこれくらいで良しとするか。その内、風邪も吹っ飛ぶだろう。

手に取って、しばらく眺めている内に、ふとあることに気付いた。いつの間にか、私はこの人たちの年齢を越えてしまっていた。彼らは老いとどう向き合い、どのような作品を書いたのか。彼らより若い時に、それぞれの小説を読んでいる。もしかすると、違う読み方が出来るのではないか。

その勘は的中した。谷崎潤一郎が七十七歳で書いた『瘋癲《ふうてん》老人日記』は、改めて今読み直してみると、全く違った小説であった。これも大発見だった。

眞《まこと》エロいのだ。前に読んだ時とは感動の度合いが違う。なんと、私は久しぶりに下腹部にある種の衝撃を受けた。勃起しているではないか。凄い！

谷崎さんは七十九歳でこの世を去っている。その二年前に『瘋癲老人日記』は執筆された。

息子の嫁に恋慕した老人は、あらゆる機会を試みて迫る。その大半は想像力であった。そして、自分の欲望を遂げるために、あらゆる努力を惜しみなく発揮する。その情念の奥深さが伝わってきて、読者を魅了する。すさまじいばかりの性への執着である。しかも小道具のひとつを煙草が果たしている。

永井荷風は八十歳で死んだ。絶筆の『断腸亭日乗』は、亡くなる日まで書き続けられた。その日、午前十一時ごろ天ぷらの大黒屋に行き、酒一本を飲み、天丼を平らげて帰った。翌日朝、身の回りの世話をしている福田《ふくだ》とよさんが死体を発見した。一生独身だった。『断腸亭日乗』に遺言状を記している。

「余死する時葬式無用なり。死体は普通の自動車に載せ直《ただち》に送り、骨は拾うに及ばず。墓石建立亦《また》無用なり。新聞紙に死亡広告など出す事元《もと》より無用」

しかし、文化勲章受章者であった永井荷風は、天皇から祭祀料が届けられ、国による仏式葬儀が盛大に行われたのである。挙句に雑司《ぞうし》ヶ谷《がや》墓地に墓も作られ、現在もそのまま存在している。

娼婦を愛し、徹底的に反俗を貫いた人も、当時の金《かね》として二千数百万円（現在の五億円ほど）を残したために、国家権力の意のままに葬られてしまった。何とも気の毒でならないま、これも自業自得か。

永井荷風も老いてますます性への憧景を深くした。一九七二年に自殺した川端康成も晩年は少女愛に傾斜して、エロティシズムの素晴らしい開拓者となった。ノーベル文学賞を受けて、四年後に自ら命を断ったことは世間にショックを与えた。

谷崎、永井、川端の三人は、愛煙家としても知られていた。とにかく、それぞれのタバコを手にした写真は、なかなか味がある。さすが明治大正の文豪たちだ。

エロスと喫煙の危機

歌は世につれ、世は歌につれ。テレビを消して、懐かしい文学に浸っていると、脳裏を横切るのは、数々の歌である。

戦時中は軍歌。敗戦と同時にジャズ。これはアメリカ軍占領の手土産だった。やや遅れてシャンソン。銀巴里には戸川昌子、岸洋子、丸山《まるやま》(現・美輪《みわ》)明宏《あきひろ》、芦野宏《あしのひろし》、高英男《こうひでお》、そしてクロード野坂こと野坂昭如。

続いてロシア民謡と歌声酒場の登場。アコーディオン弾きと新宿の「どん底」。世界中の歌がどっと雪崩《なだ》るように私たちを襲ってきた。

浪花節から演歌へと時移り、ウェスタンカーニバルが去り、フォークの波がやってくる。昭和メロディが過去のものとなり、ニューミュージックが転じて、ロックが華々しく登場する。私たち昭和ヒトケタ世代にはこれらはすべて異質なものだった。

時代は歌と共に変化する。グループサウンズの全盛からエレキが流行し、老いたる者たち

丸山(美輪)明宏

は、更に取り残される。

一体、私たらの歌は何処へ行ってしまったのか。

森繁久彌《もりしげひさや》さんが夢の中で、カントリー・ウエスタンを歌っている。私は彼に誘われて湖畔の彼の別荘でテネシー・アーニー・フォードやハンク・ウィリアムス、ハンク・スノウを共に歌った。

森繁さんのタバコの喫《す》い方は独特だった。くわえタバコで歌う『知床旅情』のしみじみとした感じは忘れ難い。思えばもくもく交遊録に終わりはない。タバコが排斥されても、煙はいつまでも立ち昇る。

美輪明宏の名曲『ヨイトマケの唄』に登場する土方《どかた》たちは、いつもタバコを火傷《やけど》寸前まで喫っている。

かつて丸山明宏というシスター・ボーイが一世を風靡して、長い煙管から紫の細い線を天空に舞い上げてくれた。あんな美しい紫煙は他になかった。若い日々、彼は美の象徴でもあった。あの透明な瞳は、今もって濁ることはない。

熱に浮かされたわけではないが、十日間のタバコを喫えない毎日からやっと開放されて、その時空の中で老人とエロティシズムを考え続けていた。やっと辿り着いたのは、衰えた肉体に再び活力を与えてくれるのはエロスしかないということだった。

老作家たちが若い女性に蠱惑《こわく》されたあの一瞬は、貴重な体感に他ならない。永井荷風はフランスに旅して、娼婦たちの魅力の虜《とりこ》になった。『ふらんす物語』にはその時の体感が描かれている。本当の女神は娼婦と紫煙の中にあることを知ったのだ。

『濹東綺譚《ぼくとうきだん》』は一九三七年朝日新聞で連載を開始した。玉の井の私娼街を舞台に、薄幸な娼婦とのお雪との交流を淡々と描いた作品である。日本という国には高度過ぎる情念だった。つまり、明らかにミスマッチであった。読者からの非難は連載中もずっと続いた。実際には日本の貧弱な風土の中にある性と、フランスの自由な性を深部で合体させた傑作だった。読み直してみると、つくづくそれがわかる。

どこまで理解されたか不明だったが、作者の目は優しく娼婦にそそがれていた。日本社会に根を張る陰湿な性風俗。その中でも解放を求める女性たちの存在を記録している。年齢を重ねて初めて知るエロスの世界がそこにある。それは自由で誰からも縛られることのない、性の特権を表現している。

娼婦である以前に女性であり、女性である以前に人間だという現実が提示されている。思えば文学の本質とは、こうした部分ではあるまいか。権力や権威に真っ向から異を説えてたじろぐことがない。今、世界で話題になっているセクハラ騒動は、嫌煙権運動に似たある種のファシズムに他ならないように思える。男女の性だけでなく、自由な性をどこかで歪めている。そのことに気づかなくてはならないように思える　。

フランスでは、女優のカトリーヌ・ドヌーブが反発したが、世論はたちまち彼女の言論を封じてしまった。独裁とファシズムが世界全体に広がりつつある。大国の状況を見れば、その恐怖は黙視するわけにはいかない。

アメリカのトランプ大統領の反動的な政治姿勢は世界を揺るがしているが、中国の習近平《シュー・チンピン》（しゅうきんぺい）、ロシアのプーチンの一党独裁の脅威は、冷静に見れば、ナチス党のヒトラーと同じである。やがて世界を席巻するようなことになれば、混乱は果てしなく拡大する。

冷戦時代の再現の中で、核の危機は一気に高まる可能性がある。ホンのちょっとした綻《ほころ》びが、地球を、人類を破滅させるかもしれないのだ。

「三遍まわってタバコにしょ」と気軽に楽しみを招く余裕こそが、私たちの幸せを保全してくれるはずだ。

みんな仲良くタバコを喫うという雰囲気の中で語らいを持つ。そのことがどれほど大切かをしみじみ感じたらいい。エロスを賤《いや》しめてはならない。性によって人間はその存在価値を認め合えるのだ。

いたずらに齢を取りたくはない。ご同役、そう思いませんか。

第十五章　わが愛しのスモーカー

〈人により程度は異なりますが、ニコチンにより喫煙への依存が生じます。〉
〈喫煙は、あなたにとって脳卒中の危険性を高めます。〉
〈医学的な推計によると、喫煙者は脳卒中により死亡する危険性が非喫煙者に比べて約1・7倍高くなります。〉

私が常用しているタバコのパッケージに、印刷されている文章を改めて読んでみると、誰の爲に、何の爲に、こんな愚かな文言が並んでいるのか、途方に暮れてしまう。

これを読んで、喫煙者が禁煙するとでも思っているのだろうか。少なくともタバコを発売する側が口にするセリフではあるまい。余りにも恥を知らないというか、実に失礼千万な態度である。

悪い物、危険な物を売っているという開きなおりには、とにかく呆れてしまう。ならば売るなど怒りたくなるではないか。

国に先がけて、受動喫煙防止条例を六月二十七日に成立させた小池百合子都知事にも呆れてしまう。ファシストとしか思えない。

条例というものは法律ではない。ところが罰則を有するのだから、施行されれば強い権限を発揮する。都民あるいは東京にやってくる旅行者の中には、当然ながら喫煙者もいる。政治家ならば、喫煙者を守る義務も同時にあるはずなのに。

少なくとも世界各国でタバコを売っていない国はない。売っている以上は、喫煙者にも保障される資格がある。買う自由はあっても、喫《す》う自由はないというのなら、これは一種の詐欺行為ではないのか。

日本の政府は専売ではないが生産、販売の権利を今も所有している。しかも、原価からはずっと高いタバコを売り、税収の効率をどんどん底上げしている。独占そのものも問題だが、売っているからには、喫う人たちの権利をもっと守って欲しい。街角のあらゆる場所に灰皿を設置するとか、喫煙者の便宜を最大限図る必要がある。

各都道府県がそれぞれの条例で喫煙の規制を行っていることは、明らかな自由への侵害であり、喫煙者への迫害であるばかりか、文化を破壊している。

これは正論だが、現在の社会では、暴論を吐いていると受け取られてしまう。何ともやり切れない。

はじめに何故このようなことを書いたか。目に余る喫煙者差別に、堪忍袋の緒が切れかかっているからである。

タバコは毒。スモーカーは悪人。この図式が禁煙、ノースモーキングの貼り紙《ステッカー》によって、街全体を監獄にしている。しかも、多くの人が、そのことに気が付いていない。

スモーカーは追い詰められている。それに追い打ちをかけているのが、法や条例による規制に他ならない。

神奈川県は、東京以上に喫煙者に対する規制が強い地域だが、例外がある。横浜の中華街だ。誰でも何処でも喫煙できる。とは言えスモーカーが集まってくるわけでもない。それが普通なのである。

一見して乱雑でいかにも無法なこの街に、タバコの吸い殻が落ちていない。つまり、喫煙者が保護されている証拠とも言える。軒を並べる中華料理店は、ほとんどの店が喫煙できるのだが、禁煙の店の入口には、必ず灰皿が備えてある。素敵な街ではないか。

ただ禁じるのではなく、喫煙者に優しい環境を保全している。タバコが商品として存在している以上は、それを求めた人たちへの保護が何よりも大切なのだ。ただヒステリックに禁煙を主張することが、どれくらい誤ったことかを、行政にも嫌煙権を主張する人たちにも肝に銘じて貰いたい。

横浜の中華街のような租界の場所に、正しい秩序が保たれている。それを是非学習して欲しい。

喫煙者のマナーが生きるのも、こうした環境が守られることによって可能だということを知るべきである。

三國連太郎さんと私

古い話になるが、一九六六年の年末に、三國連太郎《みくにれんたろう》さんと私は、田丸善亮《たまるぜんりょう》という名の希代の詐欺師の被害に遭った。

当時、『キネマ旬報』の編集長だった長谷川稔《はせがわみのる》氏が、資金繰りに苦しむ私に田丸を紹介する。創刊以来の累積赤字が一千万円を超えて、その頃『話の特集』は風前の灯だった。銀行から融資を受けることになり、田丸の保証で私は第一勧銀宛に一枚の手形を手渡した。金額が明記されていない、いわゆる危険な融通手形だった。

第一勧銀から十二月二十日に二百万円の振り込みがあり、毎月二十日に五回分割で一千万円の融資が確定したが、その手形は田丸が額面二千万円で別の金融機関に割引かれていた。

この手形の裏書人の一人として、三國連太郎さんの名前が記されていたのだった。三國さんは映画制作の資金を、長谷川氏に頼み、田丸を紹介されたということだった。

三國さんと私は、帝国ホテルのロビーで、田丸善亮を連れて来る約束をして席を外した長谷川稔をすでに一時間近く待っていた。その日が初対面の二人は、ほとんど会話を交わすことなく、黙々とタバコを吸っていた。

当時、『話の特集』は内幸町《うちさいわいちょう》にある日本社から出版されていた。帝国ホテルとは鹿鳴館跡を挟んで至近距離にあった。

愛用していたハーフ&ハーフの紙巻きタバコが切れて、会社に取りに帰ると告げたところ、三國さんは懐《ふところ》から珍しいパッケージを取り出し、

「良かったらこれやってみませんか」

と、私に勧めた。キューバ産の細巻きシガーだった。なかなかの逸品だった。

それがきっかけになって、私たちはようやく親しく口を利くことが出来た。

私は田丸に手形をパクられ、その手形の裏書きをした三國さんは、信用を利用されたことがおぼろげにわかった。つまり共に被害者だった。田丸を連れて来られなかった長谷川稔は三國さんと私に詫びたが、事はそれでは済まなかった。

日本社は手形を決済出来ずに倒産し、街金が不渡り手形を暴力団に渡した結果、三國さんと私は脅されるハメになってしまった。

今も、あの時のタバコの味は苦い思い出と共に残っている。

オシャレな石原裕次郎

三國さんがきっかけになって、およそ五十年も前になる銀幕の大スターたちとの交友を次々に思い出した。それは「もくもく交遊録」そのものだった。列挙してみよう。

『話の特集』創刊号から、「スーパーマン研究」という八ページのインタビュー記事を、編集長の私が担当することになった。企画を出したのは和田誠で、コンセプトは映画、スポーツ、芸術などのビッグスターの虚像と実像に迫ることだった。

候補に上がったのは、映画スターでは石原裕次郎、勝新太郎、高倉健、鶴田浩二、植木等《うえきひとし》、田宮二郎、スポーツ界では三冠王の王貞治《おうさだはる》、プロレスラーのジャイアント馬場《ばば》、他に古典芸能、建築、音楽界からノミネートした。

問題はトップスターたちが、私のインタビューを受けてくれるかどうかだった。ほとんどコネクションはなかった。最低二時間、謝礼は一万円。すべての交渉は私ひとりでやらなければならなかった。

雑誌名も知られていないし、相手に理解してもらった上で応じていただくからには、事務所やマネージャーを通してでは難しい。直接電話に出てくれるワケもないし、一度断られたらおしまいである。

返事を貰うために私は片っ端から手紙を書いた。

植木等

王貞治

ジャイアント馬場と著者

田宮二郎（右）と著者

結論から言うと前記した八人から全員快諾を得た。もっとも、一回目の石原裕次郎、二回目の勝新太郎が好評だったので、説得が次第に楽になったのである。

「ナイトクラブのラテンクオーターに出演するので、リハーサルの合間でよかったら」

と、石原裕次郎の事務所から突然連絡があって、カメラマンの藤倉明治を連れて出向いた。兄の慎太郎さんの友人だと手紙に書いたことも功を奏したかと思ったが、

「面白そうな企画だから……」

と、直接言われて、私は嬉しかった。

礼儀正しい上に、質問に明瞭な答えが返ってくる。スクリーンの上でのタフガイとは全く印象が違った。いささかも粗野なところがなかった。

タバコを親指と人差し指とで、しっかりつ

まんで吸う。そこが先ず目についた。美味《うま》そうにしっかり吸い込んで、一本の線を吐き出す。実にオシャレだった。

タバコで間を取る。私のどんな質問にも、楽しそうに、余裕を持って答えてくれる。好感度が抜群だった。

企画意図を正確に理解してくれていて、インタビューは大成功だった。

「もし時間があったら、ディナーショウを観て帰って下さい」

石原裕次郎は別れ際に、チケットを二枚くれた。当時の五千円は、恐らく現在では三万円以上だっただろう。約十曲を歌う合間に、なかなかアドリブとは思えない洗練されたジョークを飛ばす。観客を一秒たりとも外らさない見事な話し方だった。

歌の間を利用して、グラスを傾け、タバコをくゆらせる。それも演技のひとつだったのかも知れない。

それにしても素敵な出会いだった。

私は幼少の頃から、水の江瀧子さんとは交遊があった。そんな関係もあって、ターキーがホステスだった原宿のナイトクラブで石原裕次郎さんと時々お目にかかった。タバコの吸い方には、いつも感心させられた。

石原裕次郎

愛すべき男・勝新太郎

二回目の勝新太郎は、京都の祇園《ぎおん》でお目にかかった。妻の中村玉緒《なかむらたまお》さんから、編集部に直接電話があって、私が受けた。

「祇園のお茶屋さんでお話ししたいって勝が言ってるけど、いいかしら。京都まで来ていただくことになるけど……」

と、おっしゃる。一瞬、私は言葉につまった。玉緒さんは、直ぐに察したのか、

「勝がお目にかかるお茶屋さんの費用はウチに持たせていただきます。こっちが勝手言うてるわけやから……」

と、気遣ってくれたのである。一体どれくらいかかるのか想像すら出来ない。京都往復の交通費と宿泊費は、カメラマンと二人だからちょっと痛いが、何とか工面できた。まさに唯一のチャンスだった。

『座頭市』シリーズで人気絶頂の勝新太郎に会えるだけでも、こんなに嬉しいことはなかった。

驚いたことに、玉緒さんがホームまで出迎えてくれた。出発の前日に電話があって、「ひかり」何号に乗車するか尋ねられた。その時は確認の為かと思ったが、指定座席まで問われた理由《ワケ》が、当日になって納得出来たのだった。

京都駅から祇園までタクシーに乗り、支払いも玉緒さんが済ませた。茶屋に着くと、すでに

勝新太郎は部屋で私たちを待っていた。

タバコを口に挟みながら、モグモグ口を動かしている。私の顔を見ると、灰皿に口元からタバコをパッと手を使わずに落とし、上機嫌で迎えてくれた。

「ほな、わては失礼します」

玉緒さんは二階の部屋まで上がらずに帰ってしまった。亭主に会ってもいない。これもびっくりだった。

「さ、どんなことも、遠慮なく聞いてください。終わったら、酒と芸妓はんが来ますよって」

身振り手振りを交えて、座頭市談義は終わるところを知らないほどだった。相当なヘビースモーカーで、タバコが小道具になるシーンも度々あった。素顔も惜しみなくさらしてくれる。

カメラマンの藤倉明治も、思わず笑い転げて、あわててファインダーを覗いたりしていた。

勝新太郎はサービス精神が旺盛で、その反面こちらの反応を鋭く見ている。取材する側も油断は全く出来ない。立ち上がって殺陣《たて》まで披露してくれる。貴重な写真が沢山撮れたと藤倉さんは大感激だった。

それでいて、たまに私がタバコをくわえると、サッと火を点《つ》けてくれたりする。話しながらも、呑みながらも、食いながらも、のべつタバコを吸っている。いや、タバコを食べているといったイメージが強い。むしゃむしゃタバコを出し入れしているのだった。そのセイもあってか素晴らしいインタビューが出来た。

勝新太郎

結局、お付き合いは、彼が亡くなるまで続いた。『話の特集』の記事を気に入ってくれて、百部も買い上げ、あちこちに配ってくれたりもした。

困るのは、何処の料理店で会っても、勝新太郎さんが払ってしまうことだった。赤坂のTBS前に『砂場』という高級な蕎麦屋があって、連ドラに出演されている頃は、のべつ出会った。彼は私を見つけると、テーブルに置いてある請求書の紙片を素早く奪取する。絶対に奢《おご》らなくてはいられない性分なのだ。

しばらくして、私は中村玉緒さんと月に何回か麻雀卓を囲むようになった。メンバーはいつも決まっていた。加賀まりこ、春川《はるかわ》ますみ、そして玉緒さんと私。つまり、私は女傑たちにいじめられる。女性三人を相手にすると弱いと見抜かれていたのかもしれない。

全員が愛煙家で、加賀まりこさんがその頃住んでいた小石川《こいしかわ》の川口アパートが戦場だ。戦いが終わるころになると、二度に一度は勝新太郎さんが大きな寿司折を持ってやってくる。

「どれ、オレが女どもを束にして負かしてやる」

私の代打ちをするわけである。たいてい酔っているのだが、これが強い。ただし、半荘《ハンチャン》一回しかやらない。遊びでもどこか大物ぶりを存分に発揮した。実に懐かしい愛しのスモーカーであった。

手弁当で愛車を修理してくれた健さん

高倉健を大泉にあった東映撮影所に訪ねた時は、まるで取りつくシマもなかった。何を尋ねても、ウンとかアーとかしか返って来ない。約束の時間はたちまち過ぎて、収穫なしで私は帰るしかなかった。実直そうにタバコを吸いながら、ゆっくり考えた後で、何も答えてくれない。諦めるしかなかったのである。

数日してジャズピアニストの八木正生さんから連絡を受けた。

「健さんが、矢崎さんともう一度会いたいけど、僕に立ち会ってくれと言っている」

八木さんはヒット作『網走番外地』で音楽を担当し、高倉健とは親しかった。どうやら初対面の私に対して、健さんは人見知りしたらしい。それでも、石原裕次郎、勝新太郎の「スーパーマン研究」を読んで、自分も面白く取り上げて欲しいと思ってくれたらしい。

八木さんに連れられて、高倉健の自宅を訪れたのは、初対面から十日後だった。

カメラマンは連れて行かないことにした。撮影所での写真だけで十分だったし、健さんはカメラが向けられると何かしら意識してぎこちなくなる。そんな健さんの良く言えば無骨で律儀な印象が見て取れたからだった。

例えばカメラが向けられると、あわててタバコを消したりする。タバコを吸っているのは礼に失すると思うタイプの人なのだ。

高倉健

八木正生といういわば通訳のおかげで、高倉健の口調はなめらかだった。私の愛車がアルファロメオと知ってからは、車談議が繰り広げられ、八木さんが会長をしていた「ロメオ会」に健さんもすでに所属していることが判った。

「ロメオは気むずかしい女性のような車だから、乗りこなすには、微妙なテクニックが大事なんだよね」と、ジョークを連発する。ことにメカについては詳しく、女の体に例えて説明してくれたりした。根は真面目そのものの人だということは、タバコの吸い方からもわかった。口の真ん中でタバコをくわえる。まめに灰を落とし、半分以上残して消した。三十分に一本くらいだから、ヘビースモーカーではない。八木さんは手巻き煙草の愛好者で、やはりゆっくり楽しむタイプだった。インタビューに際してはテープレコーダーを使用しない私は、取材中はほとんどタバコを口にしなかった。ただし、原稿は必ずゲラ刷りの段階で見てもらうことにしていた。

ゆっくりした穏やかな流れの中で、素晴らしい内容がまとまった。立合人のいるインタビューというのもなかなかなものだと思った。言葉が紡がれる感じが、手応えとして伝わってくる。

私の愛車アルファロメオ・スパイダーが故障した時、健さんは修理に出向いてくれた。しかも我が家のガレージで丸一日の作業だった。

びっくりしたのは、当日、手弁当を持って健さんがやって来たことだった。帰宅した私は油まみれになって、車の下にもぐり込んでいる健さんの姿を見て、どう感謝したらいいのか、すっかりうろたえてしまった。

「楽しい一日でした。彼女、機嫌を直してくれましたよ。これから軽くドライブしませんか」

健さんは嬉しそうに私を誘った。

心優しい喫煙者たちよ

銀幕でしか見たことのない大スターは沢山いる。ことに外国のスターたちをスクリーンで観察していると、タバコの扱い方が実に巧みであることに気づく。演技かも知れないのだが、見事である。

私が惚れ込んでいるタバコスターは、アル・パチーノとロバート・デ・ニーロの二人だ。何回も真以してみたが、彼らのようにはタバコを扱えない。つまり、私はまだまだ未熟者なのだ。

古い映画はタバコが主役ではないのかと思えるほど、当たり前のようにタバコが煙っている。ホッとするのは私だけだったのか。

大勢の人が集まる場所では、禁煙が当然である。これは世界的な現象で、日本だけが厳しいわけではない。しかし、喫煙者に対する配慮という点では、国によって隔たりはある。

タバコによって、どれほどの文化が育まれてきたか。その歴史を知っている国は沢山ある。

タバコなしには生まれなかった芸術は枚挙に暇《いとま》がない。

心優しい喫煙者の多くはタバコの価値を身に沁みて知っている。どんなに規制しても、タバコが無くならないのは、タバコの持つ深い魅力が永遠だからだろう。

東京駅にある大丸デパートの喫煙所は、なかなかなものである。広いスペースの中に、ゆったりと腰を落ち着けることのできるソファが沢山並んでいる。換気も良く他の人のタバコの匂いが滞留しない。

大丸が関西系ということもあるだろう。喫煙者を邪魔者扱いしない伝統が商人の街のどこかに根付いているに違いない。タバコを罪悪のように排除することは絶対に間違っている。

東京では巨大ビルや大型モールで、喫煙所を探すことも難儀だが、やっと見つけても、狭いスペースに押し込み、椅子も置かれていない。正にいじめの一種としか思えない。

冒頭に戻るが、もっと喫煙者に優しい社会を作らなくては、世界は滅びの道へ真っしぐらに向かうだろう。

百メートルに一ヶ所は喫煙スペースを作ってもいいと思う。喫煙者を困らせることは、まったく意味のないことだと知るべきである。正常な社会にあっては、何かを迫害することで得るものは皆無に近い。戦争を見れば明らかである。そこにあるものは破壊でしかない。そのことを肝に銘ずべきなのだ。

喫煙空間を増やせば、マナーも守られる。奪ってはならない権利を奪うことで、社会はどんどん疲弊する。

今は亡きわが愛しのスモーカーたちに、心よりエールを贈りたい。

第十六章

わが永遠のグリーン・グラス

ヘップバーンと言えば、ほとんどの人はオードリーを思い浮かべるだろう。美貌でコケティッシュで魅力あふれる女優だった。出演映画も大ヒット作ばかり、他界した後も何故かCMで活躍している。思えば彼女がアカデミー賞に輝いたのも晩年だった。

しかし、私はキャサリン・ヘップバーンの大ファンである。理由は煙草にある。デビッド・リーン監督作品の『旅情』、ジョン・ヒューストン監督作品の『アフリカの女王』で、煙草が貴重な役割を果たしている。さりげないキャサリンの演技によって、煙草が生かされてストーリーや情感を印象づけてくれる。

相手役のロッサノ・ブラッツィも、ハンフリー・ボガートも、キャサリンに煙に巻かれてしまう。この二作品は、煙草なしには語れない。

映画作品だけではない。数多《あまた》の芸術家にとって、煙草は特別な位置を保っている。キャンバスを前に佇む画家が、煙草を手にジッと次の筆致を考えている。構図を確認するために大切な一服だったのかも知れない。ゴッホもゴーギャンも、大のタバコ好きだった。煙草の果たしているバランスは意味深い創造に寄与しているに違いない。ピカソが死の寸前にタバコを吸った記録も残っている。煙草なしには誕生しなかった芸術作品は数えきれないと思う。

音楽家にとっても、建築家にとっても、あらゆるクリエーターたちは、こよなく煙草を愛してきた。目には見えないが、そのことを無視することは出来ない。

煙草なしには、文明も文化も今あるような形で存在することは不可能だったと私は確信している。その恩恵に十分あずかっていながら、煙草をこの世から抹殺しようと考えている権力者がいる。恐ろしい陰謀家であり、独裁者である。絶対に許すわけにはゆかない。

原野のTABACO

地球上に、いつＴＡＢＡＣＯは登場したのだろうか。

原料となった緑の葉は、いつ発見されたのか。

最初に発育したのは、何処か。

それを摘んだのは、誰か。

何故乾燥し、火を点《つ》けてみたのか。

それらの謎は、今も解らない。ただはっきりしていることは、ＴＡＢＡＣＯが世界的に愛用されるようになったというまぎれもない事実である。まさにそれは人類にとって革命に違いない。

おそらく――

太古から果てしない原野に緑のカーペットは敷かれていたのだろう。地平の彼方まで大地を埋めて広大に続いていたグリーンの風景は想像に難くはない。

高さ1～2・5メートルほどの密生した枝には、卵形の葉が寄り添うように互生し、春から夏の季節を迎えると白色の花を咲かせた。むろん原野は蘇り、漏斗形の薄い紅で化粧し、多年草らしく一年～三年で生まれ変わる。したがって緑の葉は常に生き生きとしていたのである。今も、その習性は変わらない。

後にラテンアメリカと呼ばれる地は、TABACOの原産地として知られるようになった。温暖でやや湿度が高い。大気中に含まれる水蒸気と温度のバランスが葉を育んでいるのだった。

現在でも最大の原産地はラテンアメリカ圏であり、他に中南米、中国、アフリカ、インド、ブラジル、トルコが、それぞれ特異な葉を育成している。日本では福島などの二、三の土地で栽培されるようになった。種別はナス科の多年草で、加工の段階での変化もあるが、地域によって、匂いと成分（主にニコチンとタール）が異なる。

TABACOはポルトガル語だが、もともとはアメリカ先住民の土語（他にも西インド諸島ハイチなど）だった。

TABACO属の野生種で、今では一年草として栽培する国が多い。一般的には、早春に播《は》種《しゅ》し、苗を移植し、夏に収穫、乾燥させた後に樽につめて、一、二年堆積、発酵させている。食用としては有毒で、最初は観賞用、薬用として栽培されたこともあったが、後に嗜好品のTABACOが主になった。

歴史上明らかになっているのは、コロンブスがアメリカ大陸を発見した時、原住民（アメリカ・インディアン）が愛用していたTABACOを持ち帰り、それによってヨーロッパに伝えられたとされている。つまり、タバコは自然の恵みであり、それを加工し愛用したのは人類の知恵だった。

当時は刻みタバコを筒状の煙管（木製のキセル）に詰めて火を点けて吸っていた。後にいろいろに開発され、葉巻、紙巻（シガレット）、パイプ、水タバコ、他に嗅ぎタバコ、毒分を除いて加工した嚙みタバコなどがある。

街のオアシスが消える

これほど貴重な嗜好品をないがしろにしようとしている権力者が日本には山ほどいる。絶対に許すわけには行かない。しかも好き勝手に、二〇一九年十月一日にちゃっかり値上げを断行した。

やっぱりと思い当たるのは、私たち戦中派である。大正末期から昭和にかけて、タバコは毎年のように値上がりした。

軍事費が厖大に必要になったためである。武器弾薬や兵器をタバコ愛好者が支えてきたのだ。紀元二千六百年の値上げは、余りの急激さに大ブーイングが起きて、「金鵄《きんし》上がって十五銭」という替え歌が流行している。

戦争には金がかかる。負担を強要された愛煙家に国家は感謝すべきだったのである。そこで、やっぱりとなる。イージス・アショア、オスプレイ、F24戦闘機とアメリカから防衛庁が買う新兵器は天文学的数字にのぼる。アベ政治は、やっぱりタバコのみを頼りにしているに違いない。

それなのに喫煙者イジメをやっているのだから、まさに踏んだり蹴ったりである。馬鹿にするのもいい加減にしろと叫びたくもなる。

マスコミにも問題はある。これまでタバコの値上げは社会問題でもあった。ところが今回はタバコ屋さんから伝えられるだけで、ジャーナリズムは知らん顔である。まったくふざけた話だ。何故、意味を分析して、抗議のノロシを上げないのか。

東京の渋谷に「トップ」という喫茶店がある。四十年以上もやっている店で、いわば愛煙家の溜り場でもある。店の宮原《みやはら》支配人は二十代からずっと「トップ」で働いている。その人が頭をかかえてしまっているのである。

「従業員を雇っちゃダメという通達が東京都からきた。受動喫煙防止条例を断固施行すると言ってきた。一人じゃとても客をサバき切れないから、店を閉めるしかなくなってしまう」

コーヒーとタバコ。それがこの店のスタイルなのだ。雑居ビルの地下一階と立地条件は悪い。しかし、愛煙家にとっては大切な街のオアシスである。ずっと通い続けている客も少なくない。

簡潔に言うならば、「トップ」にはタバコのみしかやってこない。おいしいコーヒーを飲みながら、ゆっくりくゆらす楽しみを誰もが満喫できる。長い年月の間には、「トップ」で知り合った仲間がいる。その人たちにとっては、大切な社交場でもあるのだ。

私が知っているだけでも、「トップ」と同じような喫茶店は都内に沢山ある。銀座の「ランブル」、赤坂の「カフェ・アラビカ」、「薔薇」、神保町の「ラドリオ」、「ミロンガ」、新宿の「但馬屋珈琲店」などなど、そのいずれも、愛煙家好みの雰囲気のある店ばかりである。

まさに文化の香りが漂い、一日の疲れを十分に癒してくれる。

こうした店を、条例で消滅させるとすれば、あまりにも忌忌《ゆゆ》しいことではないか。喫煙文化研究会の山森貴司《やまもりたかし》さんの言うように、「都民ファースト」は「都民ファシスト」か。

喫煙エリア増設こそ行政の役目

何度も言うが、喫煙者を犯罪人扱いしているのが、小池百合子都知事であり、健康増進法案なるマヤカシに群がっている国会議員たちだ。実際にはとんでもない強権を揮るっているというのに、その自覚がまったくない。

彼女や国会議員たちの罪がいかに重いかは言うまでもない。「タバコは害毒を流す」「健康に悪い」「周りの人たちに迷惑をかける」と胸張って主張する。何と愚かな同胞《はらから》だろうか。煙草の貴重な側面などは一顧だにしないのだから、何の痛痒も感じない。まるで黄金バットを気取っている。滑稽そのものではないか。同じ方向しか見ていないから、何ひとつわからないのである。

日本のタバコはJTが製造し、販売している。つまり、専売である。かつては専売公社と称し、塩とタバコを仕切ってきた。本質的には、それは今も変わらない。民間の企業ではないから、サービスもずっと悪かった。むろん今もその痕跡をとどめてのさばっている。

政府も国会もあらゆる行政機関も、官である。官の支配でタバコは存在しているのである。そのことを小池クンは知らないのだろうか。それとも忘れてしまっているのか。

立場上から言えば、奨励する側に属しているのである。「タバコを吸って下さい、買って下さい」と言って然るべきところを、「吸わないでくれ、健康に悪いから辞めてくれ」と言っているのだから、矛盾しているばかりか、理論上は滅茶苦茶ではないか。そろそろ、自分の馬鹿さ加減に気付いたらどうか。

国は値上げまでして、タバコの売り上げを防衛費に活用しようとしている。都はこの国の方針に反対を表明しているのならいざ知らず、ただ喫煙者をいじめているのだから呆然とする。

やることなすこと納得できないことばかりだ。

小池百合子が都知事だという自覚を持っているのなら、先ずやらなくてはならないことは、喫煙者の保護であり、タバコの吸える場所を率先して作ることではないか。ここもダメ、あそこもダメではなく、ここもヨシ、あそこもヨシという場所を拡大することこそ仕事だと弁《わきま》える以外にないはずである。

タバコ屋の周辺はもとより、どこでも自由に吸えるよう、喫煙エリアを増設するのが、行政の役目だと思う。

作っている、売っている。それだけでは困る。それを求めた人に、気分よく吸ってもらえる方法を国と行政が協力して実現するのは当然なことではないか。

二〇二〇年までには、東京を禁煙都市にするなどという誤った考えは今直ぐ撤回してもらうしかない。ことオリンピックを理由にするのは言語道断と言うべきだろう。外国から来る見物客(または観光客)にだって喫煙者はいるに違いないのである。しかも、海外では民間企業がタバコを製造販売している。日本に来て現在進行しているような禁煙ムードに驚くに違いない。喫煙場所を探してうろたえるツーリストの姿が目に浮かぶ。

正当な主張が通用しない

これまでも述べたように、タバコは文化であり、アートであり、そして自由の証明でもある。それを破壊しようとする側にこそ問題があるのであって、タバコをどうすれば迫害から守れるかに切り換えなくてはおかしい。

東京都が示している「受動喫煙防止条例」のロードマップ案は、それ自体が人権無視の表明である。しかも罰則の適用に至っては、ただ事ではない。明確な憲法違反でもある。

しかし、正当な主張が通用しなくなっているのが現在の世界情勢であることを思えば、通り一遍の論理ではどうにもならない。日本はそれを良いことに、タバコ追放にヒタ走っている。

地球温暖化は大気汚染によるものが大きいというのが常識である。だがそれをストップできないのは、各国のエゴが元凶であることは明白である。C02の削減は進まないばかりか、経済優先が環境破壊を促進させている。

私がずっと主張しているようにタバコの受動喫煙など、自動車や工場の排気ガスに比較すれば、問題にならない。大気汚染によって健康を害する人の方がもとよりずっと多いのである。

つまり、タバコは一種のスケープゴートにされていると言える。

二〇一八年九月二十六日の国連総会をみれば、国際政治が混迷の最中《さなか》にあることが手に取るようにわかる。

大国アメリカの大統領の頭にあるのは、自国の中間選挙であり、いわゆるアメリカ・ファーストの一国主義である。他国との関係は目先の利害のみに集中している。

例えば安倍首相に対しては、何度も「リメンバー・パールハーバー」とまで言ってのける。

すかさず「リメンバー・ヒロシマ、ナガサキ」とやり返す度胸も知恵もないのだから仕方ないが、譲歩ばかりを求める姿勢は最低である。

大国の横暴は今に始まったことではないが、やはり恐ろしいのは、アメリカ、中国、ロシアの三国の動向である。トランプは独裁的ではあるが、選挙を気にしなくてはならないという弱点がある。その点、習近平とプーチンは強権そのものの確信犯として君臨している。

顕著な例がある。イスラエルを強烈に支援するトランプは、パレスチナへの援助を突然打ち切る。中国とロシアの出方を探ったのである。あわてた日本とドイツは、アメリカが援助していたと同額の支援を半分ずつ負担することで何とか紛争の火を消したのだ。同盟国としての選択でもあったし、トランプの尻拭いでもあった。

それにしても国民不在に近い権力者たちの思惑だけで世界は複雑な局面を展開している。ここで一服どころではない。一触即発の国際情勢にどこからも待ったはかからない。垣間見えるのは、トランプの韓国、北朝鮮への露骨な支配者意識なのかも知れない。

遊びをせむとや生まれけむ

ロベール・アンリコ監督の傑作『冒険者たち』を観たくなって、TSUTAYAに行った。アラン・ドロン、リノ・バンチュラのTABACOシーンを思い出したからだ。まさにタバコが主役を演じている。気分が爽快になることは何より嬉しい。

フランク・シナトラも、ディーン・マーチンも、TABACOと共に演じている。タバコを口にくわえながら、器用に歌う。凄い！

日本映画ではめっきりタバコが減少した。テレビ・ドラマに至っては、消えてしまっている。いかにも日本的な統制国家的現象に思えてならない。怖い時代へ突き進んでいる。

しかも長い物には巻かれろ風な土壌が蔓延している。思いやりも忖度《そんたく》も気持ち悪い。どこかタバコを拒否する姿勢とダブってならない。

私のように七十年以上もタバコを吸っていると、タバコと共に懐かしい風景や人物が蘇ってくる。タクシーは無論のこと、かつては電車やバスの中でもプカプカ吹かしていた。ま、タバコ天国の時代には、それが普通だった。

でも、明らかに間違っているのは、タバコのみに対する差別が存在することだ。狭くて空気の悪い喫煙室に押し込められて、タバコを吸いたいとは誰も思わない。まったく失礼そのものである。

作って、売るからには、それを求めた人に対して、最大限の礼儀を払って欲しい。何回も言うように、国や行政は、タバコのみの自由をどう保証するかを真剣に考えてもらいたい。

街角に灰皿を！　そんなスローガンを掲げるNPOが出来たらいいと思う。愛煙家を守る喫煙救助隊なるボランティアが出現しないものだろうか。

ロシア帰りの友人から、一箱のパッケージが美しい二十本入りのロシア・タバコを貰った。くれた本人も読めないので、名称は不明だった。

そのタバコを高井戸駅のドトールの喫煙席で吸っていると、若い外国人女性から突然声をかけられた。

「私の国のタバコを持ってる人に初めて会った」と、彼女はやっと覚えたらしい日本語で話しかけてきた。アニー・アスリアと名乗ってくれた。

ロシア・タバコはシースキア（СЛЕПОТА）という銘柄である。日本語に訳すと「瞳《ひとみ》」だと知った。一緒に一服して、別れた。日本で保育の仕事をしているとのことだった。

それが縁で時々ドトールで会うようになった。少し会話も弾むようになった。

「プーチンには困ってる」と、言う。

「アベにも困ってる」と、私が返す。

二十五と八十五では六十歳の開きがある。でも、笑い合うことが出来た。タバコが美女を老人に引き会わせてくれたのである。

ロシア・タバコにも、健康に害があるとパッケージに書いてあり、その下に電話番号が付いている。このタバコを吸って体の具合が悪くなったら電話してくれという表示だった。

「またね」と、私。

「そう、ここでね」と、アニー。

「もくもく交遊録」も最終回を迎えることになった。『コンフォール』は季刊誌だから、おおよそ五年連載したことになる。気楽で楽しかった。登場人物は夥《おびただ》しい数に及んだが、タバコを中心に据えたエッセイは他にないだろう。それこそ勝手気儘に綴ったから、重複も多いが、煙のように消えてしまうに違いない。

TABACO生誕の地は何処か。最初に一服したのは誰か。永遠のグリーン・グラスは世界中に拡散し、どれほどの人々を魅了してきたかは計り知れない。今もTABACO人類が終わるまで、TABACOが愛され続けることだけは間違いない。TABACOなしでは一刻も過ごすことの出来ない愛煙家が存在するように、永遠の自由を与えてくれる。

それでも、タバコは嗜好品の一種に過ぎない。そういう分際だということは自認している。仲間には酒、茶、珈琲、ドラッグ、麻薬などいろいろいるが、誰とも喧嘩はしない。生れつき優しく付合いが良い。絶対に逃げ隠れはしない。

TABACO嫌いな人がいても、気にかけない。それはそれで構わない。けれども敵対心を持たれたり、排除されるのはゴメンだ。

基本的にはオシャレで孤高な精神の産物でもあるから、下品なイジメには滅法弱い。迫害やファシズムにも嫌悪感を抱く。平和でなければTABACOは欠乏する。健康でなければ美しく吸えない。すべて承知している。

人は遊び楽しむために生きる。

TABACOは自由の証しである。地球を世界を必ず救ってくれる。

最後の晩餐より、最後の一服に期待して生涯を閉じたい。

TABACO讃歌（あとがきに代えて）

煙のように軽くて、オシャレな随筆を書きたい。誰もが手にして楽しい。まずそれを願ったのが、この本の生い立ちです。そして主役はタバコ。

アラン・ドロン主演のフランス映画『サムライ』のファースト・シーンは立ちのぼるタバコの煙である。ジャン＝ピエール・メルヴィルはタバコなしには語れない。アラン・ドロンとイヴ・モンタンが初共演した『仁義』の素晴らしさを覚えている人は幸福だ。メルヴィル監督を知っているスモーカーは至福の時を永遠に忘れないだろう。

夏目漱石《なつめそうせき》の『吾輩は猫である』『三四郎』のモデルといわれる科学者で俳人でもあった寺田《てらだ》寅彦《とらひこ》は「人間は煙を作る動物である」という名言を残している。生涯タバコを愛した。

工場の煙突から噴出する二酸化炭素、自動車が巻き散らす排気ガスは、地球を温暖化させている。タバコの害とは比較にもならない。微々たるものなのに、タバコのみは社会の大敵の如く蔑視されている。実に不公平な現象ではないだろうか。

片身の狭い愛煙家を応援している季刊誌『CONFORT（コンフォール）』に、私は五年間「もくもく交遊録」を連載し、エールを送り続けた。『タバコ天国』は、それに加筆・訂正して誕生した。編集長の恩蔵茂《おんぞうしげる》の励ましも大きかった。恩蔵さんは気管支や肺炎の持病を抱えながら、ひっきりなしにタバコを吸って、咳込んでいた。健康とは、とうの昔に縁を切った素敵な文化人だ。

軽い楽しい話を集めて「もくもく交遊録」としたが、時には長年のジャーナリスト魂が顔を覗かせる。それもまた愛煙家諸兄姉への励ましだった。タバコが無かったら、どれほど退屈でつまらない人生だったか。私は心底そう思っている。

『タバコ天国』の中には重複も少なくない。お許し頂きたいのは、同じフレーズがどうしても必要だったからだ。例えば「今日も元気だタバコがうまい」もそのひとつ。わざわざ健康に悪いなどとパッケージに刷り込んで欲しくないのである。はっきり言えば余計なお世話なのだ。

世の中の健康ブームほど怪しいものも他にないように思う。医薬品やサプリメントなどいわゆる健康食品なるものが溢れている。そんなにまでして求める健康って何だろう。胸に手を当てて考えてもらいたい。

遊びをせむとや生まれけむ——この言葉が好きだ。人は皆生まれて遊ぶ動物である。遊びにはいろいろあるが、楽しみもあるがリスクもある。そこが深い。

『タバコ天国』は、現代では勇気のある書物かも知れない。でもコソコソ吸わなくてもいいんですよというメッセージを伝えることは案外大切なことではあるまいかと思う。あちこち出版社を探し求めた。これまで私の著書を出版してくれた会社は数え切れない程ある。どこか一社ぐらいと一年が経過してしまった。ことに大出版社は知らん顔だった。

以前、飛鳥新社で私の担当編集者だった藤代勇人《ふじしろはやと》さんが、径書房に持ち込んでくれた。創立者の原田奈翁雄《はらだなおお》さんは、かつて筑摩書房で『終末から』という雑誌の編集長だった。当時は私も執筆者の末席にいた。径書房は彼の娘である原田純《はらだじゅん》さんに引き継がれていたが、幸いにもタバコに理解があった。ご本人も愛煙家だった。「作りましょう」と、決心してくれた。感謝感激です。

あわよくば、ベスト・セラーにしたいな～。

ここで一服！ 美味《うま》い！

矢崎泰久

著者・矢崎泰久（二〇一九年十一月 撮影・藤倉明治）

矢崎泰久(やざき・やすひさ)

一九三三(昭和八年)東京生まれ。早稲田大学中退。編集者・作家・ジャーナリスト。

日本経済新聞・内外タイムスの記者を経て、雑誌『話の特集』を発刊。一九六五年十二月二十日に発売された創刊号のデザインに和田誠、表紙絵に横尾忠則を起用し、以降九十五年の休刊まで三十年間にわたり編集長と社主を務める。反権力・反権威・反体制と言論・表現の自由にこだわり、遊びの精神に溢れ、イラストレーションや写真などビジュアル・デザインにも優れた『話の特集』は、七十年代後半には二十万部を超え、その後の日本の雑誌文化に多大な影響を与えた。また、プロデューサーとして数多くのテレビや舞台、映画などの制作も手掛ける。

著書に『状況のなかへ』『編集後記』『口きかん—わが心の菊池寛』『「話の特集」と仲間たち』『生き方、六輔の。』(永六輔との共著)『いりにこち』(中山千夏との共著)ほか多数。

喫煙歴は七十余年。最初に愛用した銘柄は「ピース」。現在は革命家チェ・ゲバラの名を冠した「チェ(Che)」のレッドを愛す。ただ自由気ままに煙草を喫いたいとの思いから、家族と離れ都内のワンルームで一人暮らしの日々を送る。何よりも自由を愛する、根っからの〝遊びの天才〟。

タバコ天国——素晴らしき不健康ライフ

二〇二〇年二月十日　第一刷発行

著者　矢崎泰久

企画・編集　藤代勇人(紙ヒコーキ舎)

ブックデザイン　櫻井 浩(⑥Design)

写真　藤倉明治(P12・68左・P73・82右・カバー表袖を除く全て)
岡本安正(カバー表袖)

協力　立木義浩事務所(P82右写真提供)

発行所　株式会社 径《こみち》書房
〒一五一-〇〇五一 東京都渋谷区千駄ヶ谷四-十一-九-四〇一
電話　〇三-三七四六-三五二二
FAX　〇三-三四七〇-六二二〇
http://site.komichi.co.jp/

印刷・製本　中央精版印刷株式会社

JASRAC 出 1914583-901

ISBN978-4-7705-0231-5 C0095